AI失業

生成AIは私たちの仕事をどう奪うのか？

井上智洋

SB新書
634

はじめに

私は駒澤大学経済学部の教員なので、経済学者ということになります。しかし、学生の頃はコンピュータ・サイエンスを専攻しており、人工知能（ＡＩ）に関するゼミに属していました。

システム・エンジニアを3年弱ほど経験した後に、大学院で経済学を学んで現在に至ります。今の専門はマクロ経済学で、それは「デフレ不況から脱却するにはどうしたらいいか」「経済成長率を高めるにはどうしたらいいか」といったようなことを研究する分野です。

そうした本業とは別に、5年ほど前からゼミの中で興味のある学生だけを集めてサブゼミを作り、ＡＩについて教えています。そのサブゼミで、2022年度まではプログラムを作成していました。２０２３年度は「生成ＡＩ」を使って、画集や写真集、絵本などを作る練習をしています。生成ＡＩには、文章を作る「言語生成ＡＩ」や画像を作る「画像生成ＡＩ」などがあり、そういったものを使っているのです。最近流行（はや）っている「ChatGPT」は、言語生成ＡＩです。その最新ヴァージョンは、アメリカの司法試験で上位10％ぐらいの成績だったと報道されています。あくまで「学術的な知性に限って」ですが、ＡＩはすでに平均的な人間の能力を超えていると言ってよいでしょう。

人間の知性は、学術的なものばかりではありません。そのため、難しい試験を突破できるという事実だけをもって、ＡＩが人間のあらゆる知性を超えたという話にはならないでしょう。

それでも、ChatGPTは学術的なことが得意であるため、私も含め大学関係者はその対応に追われています。学内の教員や職員に対して、私がレクチャーする機会もありました。

ChatGPTがリリースされたのは、２０２２年の11月ですが、翌年の２０２３年１

月にはすでに、期末レポートでChatGPTを使って最高ランクの成績を取得した学生がいました。その時点で使っていた学生は、やる気のある学生、優秀な学生ばかりでした。

つまり、今まさにChatGPTをはじめとするＡＩを使いこなせている人と、使いこなせていない人の差である「ＡＩデバイド」が生じ始め、学生の間では成績の差となって現れているのです。

画像生成ＡＩの方は、ChatGPTほどは知られていませんが、有名なものとして「Stable Diffusion（ステーブル・ディフュージョン）」や「Midjourney（ミッドジャーニー）」があります。これらはユーザーが言葉で指示を出すと、それに即した画像を作ってくれる便利なツールです。

たとえば、「砂浜で戯（たわむ）れるカップル」というような言葉を入れると、それに相応した絵や、写真のような画像を作ってくれます。この画像生成ＡＩは２０２２年に盛んに使われるようになって話題になりましたが、それを超えるブームを作り出したのが、まさにChatGPTなのです。

こうした生成ＡＩを使って可能になることとは、一体何でしょうか？　私は「アイディア即プロダクト」だと提唱しています。何らかのアイディアがあれば、それを形にしたコンテンツやサービス、アプリといったものが、たちどころにできてしまう世の中になってきたということです。

たとえば、宣伝用のポスターは、そのキャッチコピーをChatGPTに、画像部分をStable Diffusionなどにそれぞれ生成させて編集すれば、簡単に作ることができます。すでにそのような事例が、いくつか出てきています。

絵本作りもＡＩに任せることができます。ストーリーをChatGPTに書かせて、その文章をMidjourneyなどに与えて画像を生成すると、2時間もかからずに完成します。例のサブゼミでは、学生たちにそういう作業をしてもらっていたのです。

「こういう絵本を作りたい」というアイディアさえあれば、誰もがＡＩを使ってすぐに形にできるような世の中が到来したと言えるでしょう。文章や画像だけでなく、音楽でも映像でもすぐに作れるようになりつつあります。

こうした状況では、クリエイティヴィティのハードルが下がってしまいます。「誰でもクリエイターになれる」という言葉自体は聞こえがいいでしょう。しかし、今までクリエイターだった人にとっては驚異的です。なぜなら、ＡＩを使えば誰でも参入できるとなると、その領域で生計を立てていくのが困難になるからです。

アメリカには、Uberというサービスがあります。といっても日本でも広まっているUber Eatsのことではなく、ライドシェアリングのことです。これはたとえば、ビジネスパーソンが17時過ぎに仕事を終え、余った時間で自家用車を使って、タクシーのようなサービスを提供することです。現在では、このUberによるライドシェアリングが広がったために、専門のタクシー運転手の数が著しく減少しています。

このように、それまで専門的と思われていた業種や職種に、誰もが参入できるようになると、プロとしてやっていた人の仕事は減ってしまいます。この例と同様に、生成ＡＩは専門のクリエイターの数を減らしてしまうでしょう。そして、その影響はクリエイターだけでなく、ホワイトカラー全般に及びます。

ＡＩによる失業は以前から懸念されていました。私も『人工知能と経済の未来』（文春新書、２０１６年）で、「２０３０年ぐらいから雇用が著しく減るだろう」といったことを述べていました。

しかし、その当時「ＡＩによる失業なんて、ふざけたことを言うな」と、周りからかなり怒られた記憶があります。それが今や、現実の脅威になってきたのです。読者のみなさんの中にも、同じように感じている人が少なくないでしょう。

ＡＩの第一人者として広く知られている東京大学大学院教授の松尾豊氏も「自分は以前、ＡＩが仕事を奪うことはないと言ってきたけれども、今度は奪いますのでみなさん覚悟してください」というようなことを言っていました。

新しい技術には、たいてい良い面と悪い面があります。私は以前から、そのどちらも直視していくことが大事だと主張してきました。

本書では、ＡＩによって私たちの仕事や産業、経済などがどう変わるかを、良い面も悪い面も合わせて論じていこうと思っています。

２０２３年10月

井上智洋

AI失業　生成AIは私たちの仕事をどう奪うのか？　目次

第1章　生成AIは仕事のあり方をどう変えるのか？

第2章 人工知能は私たちの仕事を奪うのか？

第3章

人工知能が引き起こす新たな産業革命

第4章 人工知能は日本経済をどう変えるか？

第5章 人工知能と人間は共生可能か？

第1章

生成AIは仕事のあり方をどう変えるのか？

1. 生成AIがもたらす「アイディア即プロダクト」の経済

生成AIが切り開いた新たな世界

Midjourney や Stable Diffusion のような「画像生成AI」は、「水平線に沈む夕日」などの指示文を入力するだけで、数秒ほどでそれに応じた絵や写真の画像を作成してくれます（図1－1）。ただし現時点では、英語で指示を出す必要があります。他方で、ChatGPT に代表される「言語生成AI」は、さまざまな質問に答えるだけでなく、論文や小説、プログラムなども作ってくれます。

私たちが仕事や趣味で気楽に使えるようなそうしたAIが、大きなインパクトをもたらしています。特に ChatGPT が、新たなAIブームを巻き起こすに至ったのは、人とコミュニケーションできるという特徴が大きな要因だったのではないでしょう

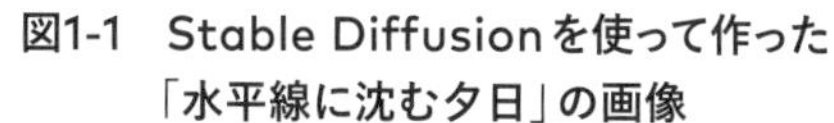

図1-1　Stable Diffusionを使って作った「水平線に沈む夕日」の画像

出所：Stable Diffusionで作成

か？

　みなさんはふだんスマホのロックを解除するときに、指紋認証や顔認証を行っていると思います。それらには「画像認識」というＡＩ技術が応用されていますが、多くの人はＡＩ技術と意識して使っているわけではありません。

　普通の人が想像するＡＩというのは、人と対話できるようなものではないでしょうか？　そういう意味でChatGPTは、ＡＩと実感しやすいサービスだと言えます。

　中には悩み事をChatGPTに打ち明

図1-2　鼻づまりを治すためのアドバイスを述べるChatGPT

智洋　鼻づまりが治らないんですけど、どうしたらいいですか

鼻づまりは不快な症状の一つですね。鼻づまりの原因や継続的な症状には様々な要因が考えられます。以下は一般的な対処法や考えられる原因を挙げてみますが、症状が長く続く場合や重症の場合は、医師や専門家に相談することをおすすめします。

対処法:

1. **加湿器の使用:** 乾燥した室内は鼻の粘膜を乾燥させ、鼻づまりを引き起こすことがあります。加湿器を使用して室内の湿度を適切に保つことが役立つ場合があります。
2. **塩水の点鼻:** 塩水を使って鼻を洗浄することで、鼻の中の粘膜を潤わせることができます。
3. **アレルギー対策:** アレルギーが原因の場合、原因となるアレルゲンを避けること、また、アレルギー治療薬を使用することが考えられます。
4. **鼻腔拡張スプレー:** 一時的な鼻づまりの場合、市販の鼻腔拡張スプレーが効果的な場合がありますが、長期間の使用は逆に鼻づまりを悪化させる恐れがあるので、注意が必要です。

鼻づまりの原因:

1. **風邪やインフルエンザ**
2. **アレルギー:** 花粉症やダニアレルギーなど
3. **副鼻腔炎:** 鼻の奥の部分、特に副鼻腔と呼ばれる部分の炎症
4. **鼻中隔湾曲症:** 鼻の中心部の骨や軟骨が湾曲している状態
5. **薬物:** 一部の薬物や鼻スプレーの過度な使用

症状が長く続く、または重症化する場合、専門医の診察や治療が必要となることがあります。そのため、自分自身での判断や自己治療だけに頼らず、医師のアドバイスを受けることをおすすめします。

出所：ChatGPTで作成

けて、相談に乗ってもらっている人もいます。私も困ったことがあれば、尋ねることがあります。たとえば、「鼻づまりが治らないんですけど、どうしたらいいですか？」と聞くと、ChatGPTは「塩水を使って鼻を洗浄することで、鼻の中の粘膜を潤わせることができます」などと、もっともらしい回答をして

くれます（図１－２）。

２０１６年頃に始まったＡＩブームで、「ＡＩは期待ほどではない」と思った人が少なくなかった理由は、コミュニケーション力が弱く、大した知性を感じさせなかったからでしょう。

以前から、人と会話ができるＡＩである「チャットボット」（会話ボット）が存在していたのですが、そんなに的確な返答はしてくれませんでした。ＥＣサイトで顧客の質問に答えるサービスにもチャットボットが使われていましたが、決まり切った言葉を機械的に返してくるだけだったのです。

このレベルのチャットボットでは限界があるため、カスタマーサポートを人の手に任せる企業が多いわけです。ところがここに来て、ChatGPTのような言語生成ＡＩに代替できる可能性が出てきました。

至るところで、ＡＩが人の代わりに働き得る時代になりつつあると言えます。そのため、ＡＩが仕事や経済、社会に与える影響は、これから果てしなく大きくなっていくでしょう。

にもかかわらず、「自分はＡＩにまったく興味がありません」という知り合いが私の周りには割と多くいます。余計なお世話ではあるのですが、将来大丈夫だろうかと心配になってしまいます。

２０２３年の４月に、私が大学で受け持つ受講者３００人ほどの講義で、ChatGPTを使ったことがない人に手を挙げてもらったところ、９割ぐらいの学生が挙手しました。それで「いやあ君ら、使った方がだんぜんお得だよ」と心の中で思いました。

最近、ChatGPTを教育の現場で使わせるべきかどうかといった議論が盛んになされています。しかし、これはそもそも二者択一の問題ではありません。

電卓を使って効率的に計算した方が良いような局面は当然あるでしょう。けれども、だからと言って九九を覚える意義がなくなることはありません。

要するに、技術を使いこなして答えを出すことと、技術を使わないで自分の頭で考えることの両方が必要なのです。

おそらく大学の先生には、学生にはChatGPTを使わせたくないという意見の人が多いでしょう。そのため、私自身は学生に対して「ＡＩは積極的に使うように」と促して、バランスを取ろうと思っています。

そもそも、現時点では生成ＡＩを使っている学生が少ないため、まだその使い方を習得してもらう段階にあると言えます。ビジネスパーソンもそうですが、より多くの人がＡＩを使いこなせるようになった方が、「ＡＩデバイド」が縮小していいと思います。

DIYテクノロジーとなった人工知能

これまでＡＩは、大学や企業に属するＡＩの専門家によって研究開発がなされ、活用されてきました。しかし、生成ＡＩの登場によってＡＩは民主化され、誰もが簡単に使えるようになったのです。

専門家ではない個人であっても活用できるような技術を、私は「ＤＩＹテクノロジー」と呼んでいます。「ＤＩＹ」は「Do It Yourself」（自分自身でやる）の略で、業者や専門家に頼まずに自分で家を修繕したり家具を作成したりすることを言います。

量子コンピュータやバイオテクノロジーは、まだＤＩＹテクノロジーではありません。「自宅で趣味の一環として遺伝子操作をやっています」という人はほとんどいないでしょう。かつてのＡＩも同様です。

しかし、今やＡＩはＤＩＹテクノロジーとなり、多くの人が日曜大工のようなノリで、せっせとStable Diffusionに人物や風景の画像を作らせたり、ChatGPTに物語を執筆させたりしています。生成ＡＩを組み合わせることで絵本や漫画なども創作できますし、それらを電子書籍として販売するのも簡単です。

そのようなクリエイターを、ここでは「プロンプト・クリエイター」と呼ぶことにしましょう。図１‐１の「水平線に沈む夕日」のようなＡＩに与える指示文を「プロンプト」といい、それを作る職業を「プロンプト・エンジニア」といいます。そのプロンプト・エンジニアと重なる部分はありますが、プロンプト・クリエイターは、特にＡＩを使って作品を作る人を表しています。

「はじめに」でも述べましたが、私は大学のサブゼミで、生成ＡＩを使って画集や写真集、絵本などを作る指導をしています。いわば、プロンプト・クリエイターがどういうものかを、学生たちに体感してもらっているのです。

図1-3　ありそうでない架空の古代遺跡の画像

出所：Stable Diffusionで作成

写真集というのは、たとえば私であれば古代遺跡が好きなので、ありそうでない架空の古代遺跡の画像をStable Diffusionでいくつも作りました（図1－3）。そうした画像をまとめて、文章を記載して1冊の電子書籍の形にしようとしたのです。

ただ、実際に電子書籍として販売するのは取りやめにしました。というのも、著作権の問題がクリアになっていないことに加えて、アマゾンの審査結果が出て販売できるようになるまでに半年以上の時間がかかるからです。現在、続々とＡＩで作った写真を販売しようとする人が出てきており、審査待ちの長い行列ができてしまっているのです。

絵本の方は、ChatGPTなどの言語生成ＡＩと、Stable DiffusionやMidjourneyといった画像生成ＡＩを組み合わせると作ることができます。まず、ChatGPTに「友情をテーマにした絵本を作りたいです。章立てを考えてください」などと入力して、物語の章立てを作らせて、さらに章ごとの文章を生成させます。今度は、その文章を画像生成ＡＩにプロンプトとして入力すると、文章にふさわしい絵を作ってくれます。あとは、その文章と絵を編集してできあがりです。

最初は手間取ることが多いですが、慣れるとものの1時間くらいで1冊の絵本が完成します。この作業の中で大事なのは、どういう絵本を作るかというアイディアの部分です。「友情をテーマにした絵本」では平凡すぎます。ゼミ生の中には「競馬をテーマにした大人向けの絵本を作って」とChatGPTに指示している人もいましたが、その方が独創的で面白いと思います。

「アイディア即プロダクト」

いずれにしても、アイディアさえ発想できれば、あとはたちどころに作品ができあがります。このようにアイディアがすぐ形になる状況を、私はキャッチコピー的に「アイディア即プロダクト」と表現しています。このアイディア即プロダクトが、経済に及ぼす影響は計り知れないものがあります。

これまでも、電子書籍や画像、ソフトウェアなどのデジタル財はコピーにほぼコストがかかりませんでした。このことを、経済学の用語では「限界費用ゼロ」と言います。

「限界」というのは追加的という意味で、「限界費用」は追加的なコストということです。たとえば、自動車であれば1台作ったあと、2台目、3台目を追加して作るのにもコストがかかるため、限界費用はゼロではありません。それに対して、電子書籍は1冊作ったあと、2冊目、3冊目を追加して作る場合でもただコピーするだけです。そのため、限界費用がゼロになります。

限界費用に対して、生産量に関係なくかかるコストは「固定費用」と言います。ここでは、最初にかかるコストというぐらいにとらえておけばいいと思います。電子書籍であっても、作家に執筆依頼をすれば報酬の支払いが発生するため、固定費用がかかります。

ところが、アイディア即プロダクトの経済というのは、限界費用ばかりでなく固定費用もゼロに近くなります。なぜなら、作家に執筆を依頼する必要もなく、アイディアさえあればすぐ作品ができるからです。

コストというと、お金が発生するものとしてとらえる人が多いとは思います。ですが、労力も一種のコストであるため、費用ゼロは労力ゼロと置き換えてもらってもいいでしょう。

今のところ、ＡＩに生成させたいくつもの作品を人間が吟味して、試行錯誤を繰り返す必要があるため、労力が完全にゼロというわけではありません。それでも、プロンプト・クリエイターの方も徐々に手慣れてきて素早く作れるようになり、ＡＩの今後の進歩によって、ますます簡単に作品を生み出せるようになるはずです。したがって、究極的には「アイディア即プロダクトの経済＝費用ゼロの経済」となるわけです。

ただし、費用がゼロに近くても、価格がゼロになるとは限りません。これからさらに、ＡＩの生み出した画像が桁違いに増えてくれれば、単に見栄えのよい画像を作ったというだけでは、売り物にならなくなるはずです。それでも、アイディアが秀でていたり、生成ＡＩの生み出した作品を取捨選択する際の審美眼が優れていたりすれば、有料で売ることも可能でしょう。

クリエイターはますます食っていけなくなる

それだけ簡単に作品が作れるようになれば、誰もがクリエイターになれると言っても過言ではありません。私は子どもの頃、漫画家になりたかったのですが、友だちから「画伯」とからかわれるくらいに絵が下手だったので、早々に断念しました。その後高校生の頃は、作曲家になりたいと思っていたのですが、音感がなさすぎてそちらの夢も諦めました。

いまなら私は、漫画家にも作曲家にもなることができます。実際、『サイバーパン

『サイバーパンク桃太郎』のワンシーン

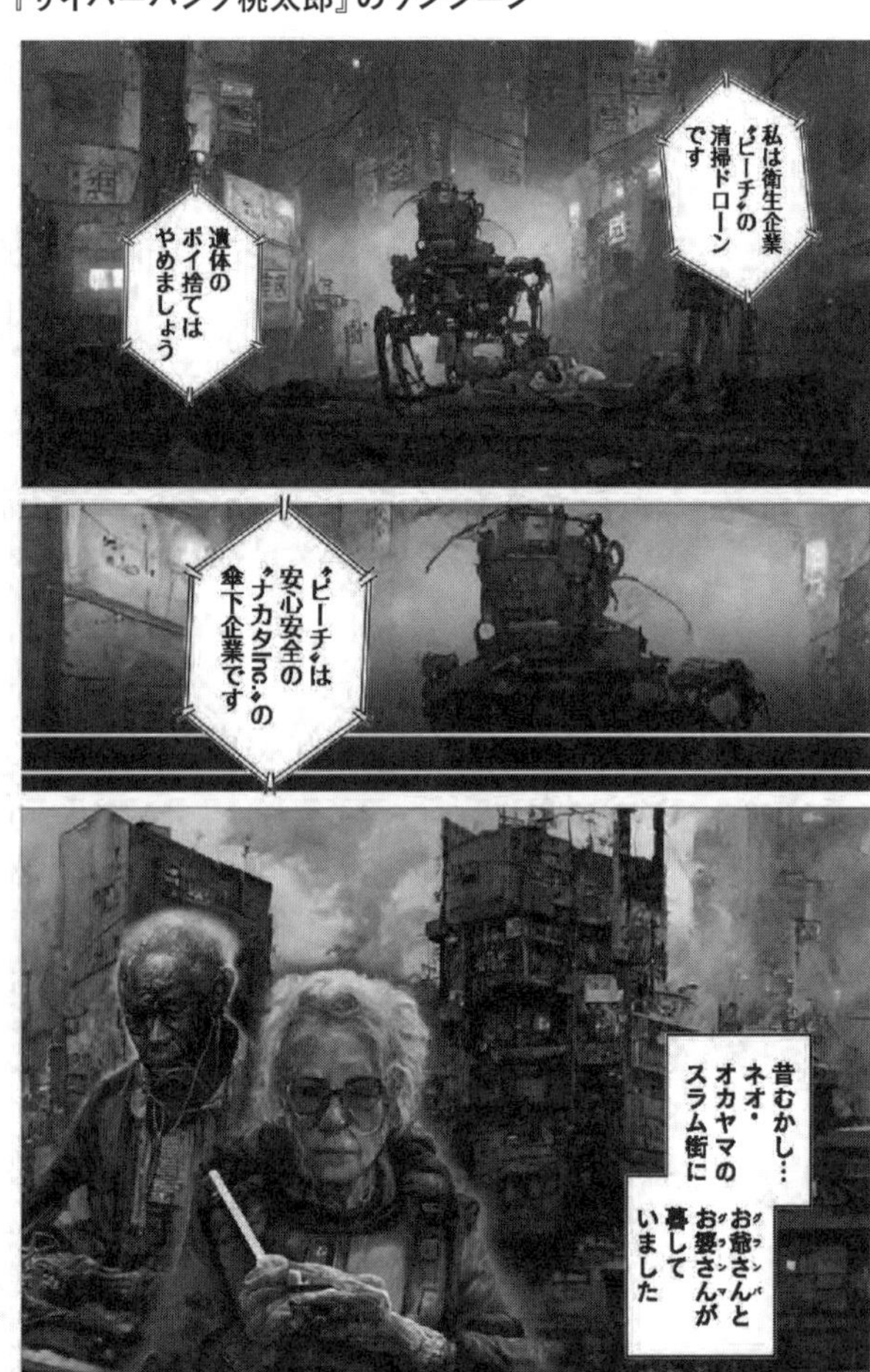

図1-4　AIだけで絵の描かれた漫画

Ⓒ Rootport／新潮社

ク桃太郎』（図１－４）のように、ＡＩだけの絵で作られた漫画がすでに存在していま す。あるいは、「Soundraw（サウンドロー）」のような音楽生成ＡＩを用いると、数分に１曲のペースで音楽を作り出すことができます。絵が苦手でも、音楽的才能に恵まれていなくても、誰もがクリエイターになり得る時代が到来したのです。

経済学者の森永卓郎氏の言葉を借りて「１億総アーティスト時代」と言うこともできます。本当に国民のほぼ全員がアーティストのようになるかどうかはわかりませんが、個人がネットなどを通じて創作物を販売する「クリエイター・エコノミー」が急速に拡大するのは間違いないでしょう。

そしてそれ以上に、ＡＩに作らせてみたものの、特に売りに出されることもない創作物が増大すると思われます。なにしろ、ＡＩはものの数秒で画像を生成し、数分で音楽を完成させることができるので、その分だけむやみやたらと作られ、売り物にならないような創作物がネットにあふれかえるようになるわけです。

それが問題なのは、せっかく絵画やデザイン、作曲などの技能を身につけても、稼ぐことが難しくなるということです。今でも、クリエイターは一握りのスーパースターがいる一方で、その仕事だけでは生計が成り立たない人たちがたくさんいる職業です。さらに今後は、専門的な職業としてますます成り立ちにくくなるでしょう。

というのも、今ですらＡＩの生み出す画像や音楽はレベルが高いうえに、今後さらなるレベルアップが図られることが予想されるからです。

そのため、ＡＩが乱造する作品にすら、並みのクリエイターでは太刀打ちできなくなるでしょう。さらに、人々はＡＩの生み出した無料の作品を消費することで満足してしまい、ＡＩの作品よりも優れた人間の作品があったとしても、わざわざお金を出さなくなるかもしれません。

２０２３年6月時点でも、「美術家・デザイナー」の有効求人倍率は０・17倍ほどで、５人に１人くらいしか職を得られない狭き門ですが、この倍率は今後ますます低くなるはずです。そうすると、確固たる作家性のある一流のクリエイターしか、本業で食べていけなくなるでしょう。

中国のゲーム業界ではすでに、画像生成ＡＩによってイラストレーターの仕事が奪われていています。これまで１週間かけて人が書いていたイラストを、ＡＩならば数秒で生成してしまうからです。代わりに人間のイラストレーターは、ＡＩが作った画像の微修正を担当させられ、仕事量も報酬も激減しています。

アメリカでは、コピーライターやカウンセラーが生成ＡＩによって職を失い始めています。ChatGPTを使った映画の脚本作りも試みられており、ハリウッドでは脚本家などによる大規模ストライキが起きていました。これから多くの職業で雇用が脅かされるようになるでしょう。この点は次章でくわしく論じることにします。

2. シンギュラリティはいつ到来するのか？

汎用人工知能

生成ＡＩの登場によって、クリエイターの地位が脅かされるようになりました。それだけＡＩが進歩したということですが、この進歩の先には何が待ち受けているのでしょうか？　それは、「汎用人工知能」（以下、汎用ＡＩ）だと考えられます。

汎用ＡＩは、人間と同じようにいろいろなタスクをこなすことのできるＡＩです。これまでのＡＩは、将棋のＡＩなら将棋だけ、指紋認証するＡＩなら指紋認証だけというように、１つ（ないし数個）のタスクしかできない「特化型ＡＩ」でした。

それに対し、人間は１人の人が事務作業をしたり、将棋を指したり、ほかの人とコミュニケーションをとったりと、いろいろなことができます。人間同様に多様なタスクをこなすことのできるＡＩが汎用ＡＩなのです。

そもそもChatGPTはもはや汎用ＡＩではないか、と論評されることもあります。私自身はそう断言はしませんが、汎用ＡＩの原初的なモデルであると見ています。要するに今は赤ちゃんみたいなもので、これから立派な汎用ＡＩへと育っていくわけです。

そもそも、ChatGPTをリリースしたOpenAIという会社のミッションは、人類に貢献するような汎用ＡＩの開発です。なので、ＧＰＴの発展した先に汎用ＡＩが現れるのは、既定路線とも言えます。

特にGPT-4という最新ヴァージョンでは、画像データや音声データも扱うことができます（「マルチモーダル」という）。1つのAIが人とコミュニケーションを取ったり、物語を作ったりするだけでなく、画像や音声を認識できるようになっているわけです。

では人間並みに汎用性があるかというと、まだそこまではありません。けれども、もう汎用AIへの道は開けたと言える状況です。DeepMind社でAIを研究しているナンド・デ・フレイタス氏も、2022年に「汎用AIへと至る道を探すゲームは終わった」という意味のことを述べています。なお、DeepMind社は、囲碁のチャンピオンを打ち負かした「アルファ碁」というAIを開発したことで有名なグーグル傘下の企業です。

私は、2016年に出版した『人工知能と経済の未来』という本の中で、「2030年頃には汎用AIが実現するだろう」と述べました。しかし、当時は多くのAI研究者や経済学者から「汎用AIなんてできるわけがない」と批判を受けました。

しかし、今では「汎用AIは実現不可能」と自信を持って言える人はあまりいないのではないでしょうか?　ChatGPTが多くの人の固定観念を覆すくらいのインパクトをもたらしたからです。

ただし、何をもって汎用ＡＩと呼ぶかは難しい問題です。「汎用ロボット」ではないため、掃除をしたりお茶をいれたりといった物理的な振る舞いはできなくていいでしょう。また、ＡＩに人間と同様の意識や感情がなくても構わないと私は思っています。なぜなら、私たちがＡＩにもっとも期待するのは、仕事を担ってくれることだからです。

コロナ危機の際に、オンラインで仕事をする機会が増えた人は多いでしょう。オンライン越しに部下に指示を出すのと同様にＡＩに指示を出して、平均的な労働者とほとんど変わりなく仕事をしてくれたら、それは汎用ＡＩと言っていいと思います。人類の叡智のすべてを超える必要はないのです。OpenAIでは、汎用ＡＩを「世界の仕事の半分を担えるもの」として位置づけているようです。私もその程度で良いと思っています。

そういう意味での汎用ＡＩがいつ実現するのかと言えば、２０３０年までかからない可能性が出てきました。汎用AIが実現するのは、2025~2030年の間くらいだと、私の予想も変更しておきます。なお、未来のことは誰にもわからないので、この手の予想は参考程度に聞いてもらえればと思います。

アシスタントAIとバーチャルヒューマン

汎用AIが登場するとして、それが一体どのような役に立つのでしょうか? 汎用AIの具体的な応用例としては、「アシスタントAI」と「バーチャルヒューマン」が考えられます。

アシスタントAIは、私たちの質問や依頼になんでも答えてくれるようなAIです。仕事では、コンピュータ上でできる作業ならばなんでもこなしてくれる「スーパー有能部下」として働いてくれます。

教育分野では、なんでもわかりやすく教えてくれる「スーパー家庭教師」を務めてくれます。生活面では、ゴミの捨て方から病気の相談までなんでもアドバイスしてくれる「スーパーコンシェルジュ」を演じてくれます。

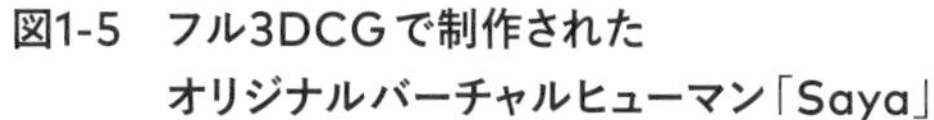

**図1-5　フル3DCGで制作された
オリジナルバーチャルヒューマン「Saya」**

AIが搭載され、人間と対話している様子。
出所：Artificial Emotional Intelligence Saya「AEI-Saya」公式サイト

ChatGPTは、多少こういった役目を果たしてくれるので、そういう意味でも汎用ＡＩの原初的なモデルと言えるでしょう。

バーチャルヒューマンは、元々はＡＩとは関係なく、コンピュータグラフィックスで作られた仮想的な人間を意味しています。日本では、「Saya」というバーチャルヒューマン（図１－５）が有名です。

Sayaは、３Ｄグラフィックス制作を行う夫婦ユニット「TELYUKA」（テルユカ）が２０１５年に発表したものです。２０２２年には、対話ＡＩ機能が組み込まれて、ディスプレイ越しに人と会話できるようになりました。

　バーチャルヒューマンに汎用ＡＩが組み込まれれば、単なるアシスタントではなく、ディスプレイ上とはいえ、顔を持った人のように振る舞うことができます。そうすると、宣伝用のモデル、受付、説明員といった商用利用が可能になります。

　のみならず、バーチャル恋人やバーチャル家族として日常的に私たちと交流するようになるでしょう。バーチャルヒューマンのこうした使い方は、いささかディストピアめいています。

　人が、生身の他人と触れ合うことをやめて、ディスプレイ越しのバーチャルヒューマンにはまり込むようになるからです。しかし、現在のように孤独なおじさん達がＳＮＳで罵り合っている世界よりは平和的かもしれないです。汎用ＡＩを組み込んだバーチャルヒューマンは、世界を混沌に陥れるのか、はたまた孤独な人々の救世主となるのか？　今のところ定かではありません。

シンギュラリティとは？

汎用ＡＩに関連する概念に、「シンギュラリティ」（技術的特異点）があります。これは、一般にはＡＩの知性が人間の知性を追い越す時点のことを言います。この概念は、アメリカの発明家であるレイ・カーツワイル氏が『シンギュラリティは近い──人類が生命を超越するとき』[*1]（ＮＨＫ出版）という本で紹介し、広く世に知られるようになりました。

同氏が「シンギュラリティは２０４５年に到来する」と予測したことで、シンギュラリティに関わる問題は「２０４５年問題」と呼ばれています。それを真に受けて、２０４５年にシンギュラリティが到来するということを確定的な事実として語る人が少なくありません。しかし、先にも述べたように、この手の未来予測は参考程度にとどめておくべきです。

そもそもなぜ２０４５年かというと、その時１０００ドル（２０２３年7月現在では約14万円）で買えるパソコンの処理速度が、全人類の頭脳に匹敵するようになるとカーツワイル氏が考えたからです。

この議論はハードウェアの問題に留まっていますが、ＡＩはそのようなハードウェアの上で作動するソフトウェアです。ＡＩが優れた知性を持つようになるには、それ相応の「アルゴリズム」（プログラムの基本的なしくみ）が研究開発によって生み出されなければなりません。

ですが、アルゴリズムの発見は人のひらめきの産物であって、いつどのような形で生み出されるのかを予測することは不可能に近いのです。そのため、カーツワイル氏はアルゴリズムというソフトウェアの問題を切り捨て、比較的予測のしやすいハードウェアの進歩に注目したのです。

ＡＩ技術の歴史を振り返ると、新しいアルゴリズムが提案されても、マシンスペック（コンピュータの性能）の天井に阻まれて研究開発が発展しないという事態が度々起きています。

たとえば、今流行りのディープラーニングの技術は、部分的には日本のＡＩ研究者である福島邦彦氏が１９７９年に発表した「ネオコグニトロン」によって先取りされていました。

　そのため福島氏はディープラーニングの先駆者として、今でも世界中のＡＩ研究者から尊敬されています。しかし、当時のコンピュータ環境ではネオコグニトロンは実用化できなかったのです。実用化の見込みが立たなければ、研究の方もそれ以上進みにくいと言えます。

　したがって、ハードウェアの進歩のみに注目するカーツワイル氏の視点は、妥当なものだと思います。なお、パソコンのスペックが、カーツワイル氏が予測したように順調に向上しているか否かについては、意見が分かれています。

　それでも、ＡＩの進歩に対して、ハードウェア的な限界は大きく立ちはだかりはしないでしょう。なぜなら、今主流のＡＩは「クラウドＡＩ」だからです。ＡＩの頭脳部分は個人のパソコンの中ではなく、クラウド上にあるのです。

　ChatGPTであれば、その頭脳にあたるソフトウェアはみなさんのパソコンではなく、OpenAIの管理するコンピュータ上で作動しています。私たちがブラウザでChatGPTのサイトを開いてそこにプロンプトを与えると、その指示はインターネット越しのコンピュータで処理され、その結果が手元のパソコンに送られてきてブラウ

図1-6　クラウドAIのしくみ

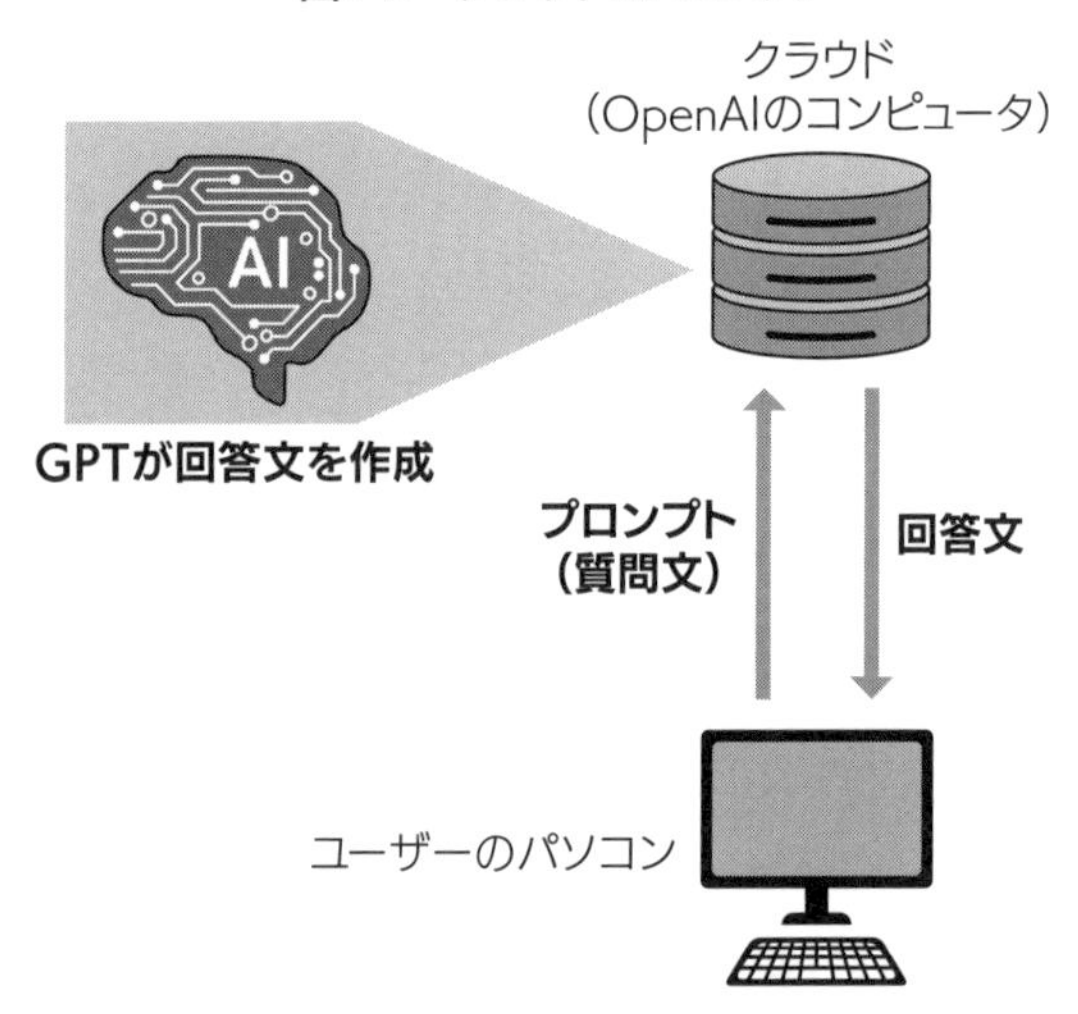

ザに表示されます（図1－6）。

なお、GPT-1とGPT-2は、パソコンにダウンロードして使っていました。GPT-3からは、モデルのサイズが格段に大きくなったため、クラウドにアクセスして使うようになったのです。ChatGPTで利用できるGPT-3.5とGPT-4も同様です。

こうしたクラウドＡＩの普及によって、ＡＩの進歩はもはや14万円程度で気楽に買えるパソコンのスペックにはしばられなくて済むようになりました。クラウドの活用が、昨今ＡＩが急速に進歩したかのように感じられる要因の1つなのです。

そうすると、もはやAIの進歩は、優れた知性を生み出すようなアルゴリズムを発見できるか否かにかかっていますが、そもそも人間を超えるような優れた知性とは何なのでしょうか？　また、シンギュラリティは結局いつ頃到来するのでしょうか？

知性という言葉があいまいである以上、シンギュラリティという概念もあいまいにならざるを得ません。私は最近このシンギュラリティという言葉を2通りに使っています。

1つは、ある分野で人間の知性を追い越すことです。たとえば、2016年にアルファ碁という囲碁のAIがイ・セドルという囲碁のチャンピオンを打ち負かしています。そのため、囲碁の分野では2016年にシンギュラリティが到来していることになります。

もう1つは全般的な知性に関するものです。しかし、AIが人間の知性をすべての面で追い越すのは困難です。なぜかというと、知性というのはつまるところ人間にとっての知性だからです。

たとえば、身体のどこかがかゆいときに、どのようにかけばかゆみが治まるかという知識は、人間にしか見出すことができません。ロボットは人間のかき方を真似るにすぎないのです。

ロボットが、かゆみのうまく治まるかき方を自ら見出すには、人間と同様の脳と身体を持っていなくてはなりません。けれども、そのようなロボットは近い未来には完成しそうもないですし、実現できたとしたら、それはもはやロボットではなく人間そのものかもしれません。

このように、知性が人間にとっての知性であるとするならば、今の技術の延長上で、ＡＩが人類の叡智のすべてを超えるのは不可能です。しかし、平均的なホワイトカラー（知的労働者）のできることであれば、およそこなせる汎用ＡＩの登場は、シンギュラリティといってもいいような劇的な変化です。

しかし、それは普通の意味でのシンギュラリティとは異なっています。なので、ここでは「経済的シンギュラリティ」（経済的特異点）と呼ぶことにしましょう。

汎用ＡＩの登場は２０２５～２０３０年頃だと前述しましたが、仮にそうだとして、普及するまでのタイムラグも考慮に入れると、経済的シンギュラリティの到来は、２０３０年代ということになります。

3．今の人工知能に欠けているもの

人工知能は、言葉の意味を理解しているか？

ここまでのところで、現在のＡＩ技術の延長上で汎用ＡＩが実現し、２０３０年代に経済的シンギュラリティが到来すると論じてきました。ただ、それで人間の仕事が完全になくなってしまうとは考えられません。

先ほど、ＡＩは人のかゆみを理解できないという話をしましたが、今のＡＩ技術の延長線上で考えたときに、ＡＩには足りないことがいくつもあります。まず、これまでの言語生成ＡＩは言葉の意味を理解していないと私は見なしています。

現在の言語生成ＡＩに広く使われているアルゴリズムは、「トランスフォーマー」（Transformer）です。これがＧＰＴ、すなわちGenerative Pre-trained TransformerのＴに当たります。

このトランスフォーマーは、ごく単純なアイディアに基づいています。すなわち、ある言葉の次にどんな言葉が来るのかを予測して、来る確率の高い言葉を連ねていっているのです。

たとえば私たちは、「春は……」に続く言葉を尋ねられて、「あけぼの」などと応じられるでしょう。あるいは、「今日は雨なので……」と来たら、「傘を持っていきます」といった文章が続くと考えるでしょう。

同じように、トランスフォーマーは文章の例をたくさん読み込ませることによって、ある言葉の次にどんな言葉が来れば最適かを確率的に予測して、文章を作っていくしくみなのです[*2]。

したがって、読み込んだ文章のデータを加工して、新たな文章を作っているだけで、言葉の持つ意味そのものを理解しているわけではありません。

「猫とは何ですか？」とＧＰＴに聞けば、「ネコ科に属する小型の肉食哺乳動物です」などと答えます。しかし、それをもってＧＰＴが言葉の意味がわかっているとみなしていいわけではありません。

というのも、私たちは「猫」という言葉を聞いたときに、猫のかわいらしい姿とか、ニャーという鳴き声とか、触ったときのモフモフ感などを思い浮かべます。猫という言葉は、人間の視覚や聴覚、触覚から得た感覚と結びついているわけです。猫好きの人の中には、猫をなめる人や猫のにおいをかぐ人もいるので、味覚や嗅覚もあり得ます。このように、言葉には五感から得た感性データが結びついています。

少し専門的な話になりますが、言語学では「シニフィアン（意味するもの）」と「シニフィエ（意味されるもの）」というフランス語由来の言い方をします。シニフィアンが「猫」という字面に当たります。一方、「猫」の意味に当たるのがシニフィエです。そのシニフィエとは、人間にとって「五感から得た感性データである」というふうに、さしあたりは言えると思います。

そのため、言語生成ＡＩが言葉の世界で閉じていて、言葉が感性データと結びつい

図1-7　記号接地問題

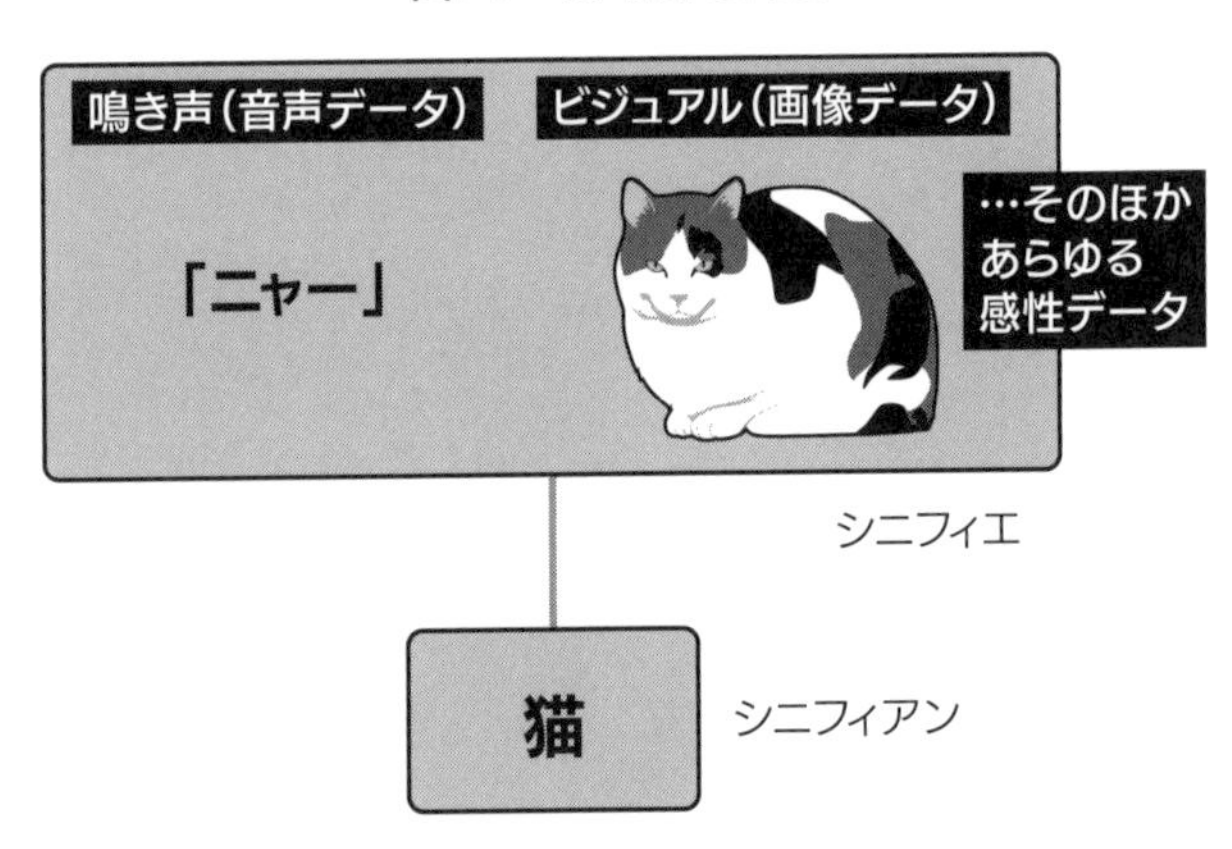

ていないのであれば、「ＡＩにはシニフィエがない」と言えるでしょう。要するに、意味がわかっていないのです。

ＡＩの分野ではこのような問題を、「記号接地問題」といいます（図１－７）。つまるところ、記号と意味を接地させられるのか、という問題です。「猫」というシニフィアンと猫の可愛らしい姿などのシニフィエを結びつけられるのかどうかというようなことです。

ただ、すでに述べたように、GPT-4はマルチモーダルに対応しています。

そうすると、画像と音声が言語に結びついているわけです。GPT-3.5までは、言語の世界で閉じていました。単に、確率的に言葉をつないでいって作った文章を出力しているだけだったのです。

ところが、GPT-4以降は言葉と視覚データ、さらには聴覚データまでもが結びついていくわけです。

そうすると、五感を使って体験する人間とは違う形ではあるけれども、ＡＩも意味を一定程度は理解できるようになると言えるでしょう。

ただ、人間はもっと高度に言葉の意味を理解しています。たとえば「猫の手も借りたい」という言い回しがあります。この背景には「猫は、ふだんあまり役に立たない生き物だ」と人間が見なしているという暗黙の了解があります。

このように、人間にとってその対象がどういうものであるかまで含めた認識が、言葉の意味なのです。そういうレベルで言えば、ＡＩが感性データを得たところで、意味を理解しているとは言えないでしょう。

ＡＩ自身は生きているわけでもなく、忙しくて困った状況に置かれているわけでもありません。そのため、「猫の手も借りたい」という実感を伴う困った状況をもとに、猫という言葉を理解しているわけではないのです。

ドイツの哲学者マルティン・ハイデッガーは、「世界内存在」という概念を提示しました。これは、私たちが生きるために、周りの環境を意味づけながら現実に存在しているということです。

逆に言えば、私たちは世界を神のように外から見下ろして客観的に観察しているわけではありません。世界の中にあって、生の営みと関連づけてさまざまな事物を認識しているのです。

たとえば、私たちにとってガラスのコップは単なるケイ酸塩のかたまりではなく、透明な円柱形の物体でもありません。水やコーラを飲むための道具なのです。「知性がつまるところ人間にとっての知性である」というのは、言い換えれば人間は世界内存在であるということです。

これまで述べた通り、ＡＩは今の技術の延長線上では、人間同様のレベルで言葉の意味やニュアンスを理解することができません。それは、人間は生命であるのに対し、ＡＩは生命ではないからです。

それでは、生命である人間は一体何を持っているのでしょうか？　それは、「意志」「体験」「価値判断」の３つだと考えられます。

意志

意志があるとは、人間が能動的に動けるということです。今のChatGPTのような言語生成ＡＩは、いわば「スーパー偏差値エリートの指示待ち人間」です。司法試験に余裕で受かるくらいの優秀な頭脳を持っていますが、誰かに指示されないと何もやらないのです。

これは、「東大に入ることだけが目的の点取りマシーン」みたいな人こそが、ＡＩに置き換えられてしまう可能性が出てくるということを意味しています。といっても、実際の東大生には能動的な方がたくさんいらっしゃいますので、極端な例ですが。

知識の習得と能動的な意志の獲得は、特に背反するわけではありません。ここで申し上げたいのは、知識を習得させるだけでなく、能動的な意志を持つ人間を育てるのが大事だということです。

体験

先ほどＡＩを指示待ち人間にたとえましたが、ChatGPTは日がな一日家にこもってネットサーフィンをしたり、本を読んだりしている人のようであるとも言えます。

私たち人間は、外に出ていろいろな体験をします。海で潮干狩りをしたり、河原でキャンプファイヤーをしたり、雪山に登って吹雪に見舞われたり、あるいは街中を探索しているさなかに、場末感たっぷりのバーを偶然発見したりします。

つまり、五感を使って体験から得た感性データを蓄積していくわけです。そうした感性データが言葉と結びつきながら記憶として積み重なり、生命としての知性を形作っていきます。

たとえば、津波の被害に遭った人が非常に恐ろしい思いをしたとします。そして、その体験を人に語ったりＳＮＳに書いたりすることがあるでしょう。それに対し、Ａ

Ｉは生の体験をしていないため、自ら津波に遭ったときの恐怖を口にすることはできません。しかし、「津波の恐怖とはどのようなものですか？」と聞けば、ある程度は答えられるはずです。なぜなら、すでにネット上などに被災者の体験談などが載っているからです。

要するに、ＡＩは体験から生み出された表現のオリジンを持つことができないのです。オリジンは人間の方にあり、ＡＩはそれを表面的に加工して、津波の恐怖がどういうものであるかを語っているにすぎません。

もう少し身近な例でいうと、ＡＩは「手持ち扇風機を使いながら笑うと、前歯が乾燥する」といったことを自ら言い出したりしません。最初に人間の誰かがネットなどに書き込んで、それをＡＩが真似るにすぎないわけです。もちろん、偶然に生成される場合を除けばの話ですが。

ＡＩが人間より優れていると一見思えるのは、オリジナルな表現をした人間の創作物が私たちの意識に上っていないからです。ChatGPTなどの言語生成が生み出す意見や表現の元になるオリジンを作り出したのは、あくまでも人間だということを忘れてはならないでしょう。

価値判断

ChatGPTは、自分で価値判断を下すことができずに、世の人々の平均的な判断にしたがっているだけの主観のない人のようでもあります。

たとえば、見たことのないような真新しい絵画を見たときに、人間であればこの絵は綺麗だとか、優れているとか、あるいはイマイチなどと判断できるわけです。けれども、こうした価値判断をＡＩにさせることは今のところ不可能です。

誰かがゴッホの絵の美しさを発見してそれが世の中に広まったわけで、そのような最初の発見がＡＩにはできないということです。ただし、ゴッホは死後にようやく優れた画家として認められるようになったため、生前多くの人が彼の絵を見ても大して評価をしなかったことは事実です。よって、素晴らしい絵の発見はＡＩだけでなく普通の人間にも難しいとも言えます。

そのほか、善悪の判断もＡＩには困難でしょう。これは、一見すればＡＩにもできるように見えるかもしれません。「人の財布を盗むことは悪いことですか？」とChatGPT に聞けば、「それは悪いことです」と答えるでしょう。

しかし、それはオリジナルな価値判断を人間がしていて、その表現をChatGPTが加工して書いているだけなのです。これも価値判断のオリジンは人間が作り出しているのであって、ＡＩはそれを表面的に真似ているにすぎないのです。

ＡＩにもオリジナルな価値判断ができるようになる日が来るかもしれません。しかし、その判断が人間とかけ離れていては、ＡＩによるアウトプットは人間にとって意味がありません。つまりＡＩは、人間と同様の価値判断を下せなければ人間の役には立たないのです。

人間はどういう絵画が好きか、どういう音楽か好きかというデータがあれば、ＡＩにも同様の価値判断が下せます。しかし、真新しい作品については、過去の作品データがあてにならないため、今の技術の延長線上ではＡＩが価値判断できるようにはならないのです。

ＡＩが真新しい作品を見て「これは素晴らしい」と判断して、その判断を多くの人間が支持する。そういうことが起きるためには、人間の脳をコピーして作るようなＡＩが必要です。この問題は第５章でもう少し詳しく論じます。

4．クリエイティヴィティ・マネージメント・ホスピタリティ――残りやすい仕事の特徴

生成ＡＩにクリエイターは淘汰され、いなくなるのか？

以上のことを踏まえて、ＡＩ時代に人間に残される仕事は何か？　という問題を考えていきましょう。私は前述した『人工知能と経済の未来』という本の中で、クリエイティヴィティ、マネージメント、ホスピタリティに関わる仕事は生き残りやすいと書きました。これらの頭文字を取り、「ＣＭＨ」と総称しています。

ここでみなさんは、最近の生成ＡＩのことを念頭において「クリエイターこそ真っ

先になくなる仕事では？」と思うかもしれません。

じつはこの本の中で、私は「革新的な作品を作れるような人しか生き残れない」と述べています。というのも、出版した2016年時点で、すでにバッハっぽい曲を人間よりもうまく作るEMI（エミイ）というAIが話題になっていたからです。オリジナルの曲を作れるAIもいくつか存在していました。

すでに芸術分野はAIによって侵食されており、クリエイターが「機械との競争」にさらされるということはわかっていたのです。ただ、コンテンツを生成できるAIの普及があまりにも速くて、それが私にとって予想外でした。AIが画像や小説を作ることが一般的になるのは、もっとあとの話だと思っていたのです。

しかし、生成AIが普及しても、意志、体験、価値判断を持たないのだとすると、芸術分野でも、AIに対して人間の優位性が残るでしょう。基本的には、革新的な作品は人間にしか作れないのです。

クリエイティヴィティ

私のいうクリエイティヴィティとは、芸術作品を作るような営みだけではありません。新しい商品を企画する、新しいビジネスモデルを生み出す、新しいプロジェクトを立ち上げる、起業する、といったような活動もクリエイティヴィティに該当します。

当然のことながら、新規プロジェクトや会社を設立する行為には、能動的な意志が必要です。そのような意味でのクリエイティヴィティを、ＡＩは今のところ発揮できません。

そのため、極端な言い方ですが、国民全員を起業家やディレクターにするような心意気でこれからの子どもたちを育てるということも、教育の方向性として検討されるべきでしょう。今までは従順な会社員に育てあげるような教育を施していましたが、その方向性を転換するということです。

前述したように、会社の命令を聞いているだけでは単なる指示待ち人間であって、「だったら人間でなくてもＡＩに頼めば済む」という話になってしまいます。会社勤務の場合でも、自力でプロジェクトを立ち上げられるような人や自らの意志でＡＩにディレクションできるような人が今後も必要とされ続け、生き残るはずです。

マネージメント

ＣＭＨのＭはマネージメントで、店舗や工場の管理、会社経営、人材マネージメントなどです。こうした仕事でもＡＩが担える部分が多くなるでしょうが、最終的な判断はやはり人間が下すべきです。特に不測の事態が起きたときに的確な判断をおこない、リスクの最小化に取り組めるのは、現状では人間だけです。

これらの行為が人間にしかできない理由は、ＡＩには価値判断のオリジンがないからです。何度も繰り返されているような出来事については、人間の価値判断を真似ればいいため、ＡＩに任せることができます。しかし、今までにないような出来事に直面したときには、的確な判断は下せません。

たとえば、政治家という職業はクリエイティヴィティも必要ですが、一国のマネージメントがおもな仕事内容です。「政治家は不倫をしたり、賄賂を受け取ったりしてけしからんので、みんなＡＩに変えてしまえ」といった書き込みがネットで度々見られます。私は、ＡＩを活用するのはいいけれど、政治家をＡＩに置き換えるのは無茶な話であると思っています。

たとえば「台湾有事をどうするか」といった問題は、これまで実際に台湾有事が起きたわけではないため、難しい判断が求められます。参考になる事例として、ロシア・ウクライナ戦争が挙げられますが、起きている場所も置かれた状況も異なるため、同様の判断では済まないでしょう。

このような、過去に似たような事象が繰り返し起きてはいない事象について、ＡＩは的確な判断を下せないのです。よって、ＡＩ以下の働きしかしていない政治家も一部いるのかもしれませんが、政治家のすべてをＡＩに代替させるべきではないでしょう。

ちなみに、手塚治虫氏の漫画『火の鳥 未来編』では、各国の政治家がＡＩに判断を求める未来が描かれています。そこには、ＡＩに核ミサイルを撃てと言われたので、発射スイッチを押して、人類のほとんどが滅んでしまう、というくだりがあります。現実でもＡＩに政治的な判断を委ねたら、似たようなことが起こりかねません。

ホスピタリティ

ＣＭＨのＨであるホスピタリティは、「おもてなし」に近い概念です。特に介護や看護、ホテルマン、スポーツジムのトレーナー、営業職などの人たちにとって必要な技能と言えます。

たとえば、ロボットに介護ができるようになったとしても、ホスピタリティの高いサービスの提供は難しいでしょう。たとえば、介護されている人が体が不自由で、どこかがかゆくても自分ではかけない状態だったとします。

このとき、介護するのが同じ人間なら、かゆいという気持ちを理解できるし、どうかいたらかゆみが治まるかという感覚も持ち合わせているでしょう。しかし、先ほど述べたように、ロボットは自分がかゆみを体験したことがないため、どうすればかゆみが治まるかを自分で見出すことができないのです。

かゆみへの対処が繰り返し同じように必要とされているのであれば、ロボットにそういう機能を組み込むこともできるしょう。けれども、かゆみがある部位や原因、被介護者の年齢などを考慮して、かき方や強さを変える必要があります。また、かゆみ以外にも、介護を受ける人はそれぞれが異なる問題を抱えています。

たとえば、言葉を話せない人が、「まぶしいのでカーテンを閉めてほしい」と思っても、そのような事例が過去にあって対処できるようにプログラムされていない限り、ロボットは応じることができません。人間の介護士であれば、顔の表情から察してカーテンを閉められるでしょう。

この世界には無数の問題がありますが、人間は自分の体験に基づいて、それらの問題にある程度対処できます。しかし、人間のように体験していないロボットは、いちいち対処するように機能を組み込まなければ応じることができません。

したがって、どんなに介護ロボットが高性能になっても、介護の現場に人がいる方が、よりホスピタリティのあるサービスを提供できる可能性が高いのです。

5. AI時代に求められる人材

アイディアを発想する人

ＣＭＨに関わる仕事が残りやすいという以上の話を踏まえて、ＡＩ時代に求められる人材について考えていきましょう。

１つは当然ですが、アイディアを発想できる人です。アイディアを形にすること自体は、生成ＡＩの利用を通じて簡単になっていきます。当然ながら、ＡＩよりも優れた表現力のある人は、生き残れるでしょう。そういう表現力がないのでなければ、これからのクリエイターはアイディア力で勝負するしかありません。

問題発見・問題解決能力を持った人

アイディアを持つことと関連していますが、問題発見・問題解決能力を持った人材を育てることも必要です。世の中にはいろいろな問題がありますが、ほったらかしにされているものが少なくありません。

経済問題だけでも、少子化や貧困、地域経済の衰退など解決されていない問題は山ほどあります。いじめや児童虐待、高齢者の孤立など、社会問題も山積みです。

こうした問題を解決するための具体的な案を、政府や自治体に提言できる人や、起業しビジネスを通じて解決できる人などが強く求められるようになります。主体的な意志や価値判断能力を持っていないＡＩには、そうした人の代わりは務められないからです。

ヴィジョン・ビジネスモデル・ブランディング

ヴィジョンやビジネスモデルを作れる人材や、商品・サービス・会社などのブランディングができる人材もＡＩ時代に欠かせません。主体的な意志や価値判断ができないＡＩは、こうした能力も持ちにくいのです。

なぜ GAFAM（ＩＴ企業の雄（ゆう）であるグーグル、アマゾン、フェイスブック、アップル、マイクロソフトの5社の総称）のような企業が日本にないのか、という議論があちらこちらでなされています。

最近の日本企業がアメリカに比べて、ヴィジョン、ビジネスモデル、ブランディングの面が不得意というのが理由の1つでしょう。ここで言うヴィジョンとは、「これからの世界はこうあるべきだ」とか「自分は世界をこう変革したい」といったことです。

こういった人材は、子どもたちを点取りマシーンに育てることが中心になっている今の日本の教育からは出てきにくいでしょう。さらには、戦争に負けて以降、日本人は新しい哲学・思想は欧米から輸入してくるものだと思っている節があります。

戦争の際に掲げた「大東亜共栄圏」のようなヴィジョンについては、大いに反省すべきだと私も考えていますが、アメリカに従属するだけで、自らは何もヴィジョンを掲げなくなった戦後の在り方もまた反省すべきでしょう。

そのうえ、バブル崩壊後はデフレ不況を伴った経済停滞に陥っていて、気持ちが後ろ向きになっています。言い換えれば、冒険せずに、ちまちまとこれまでのやり方で稼げれば御の字というような、せせこましい考えに陥っているのです。この点については、第4章で再び取り上げたいと思います。

いずれにせよ、「詰め込み教育」「敗戦後の従属的なスタンス」「デフレ不況」の3つの要素によって、今の日本人はヴィジョンを作る力が乏しくなっているのです。

余談になりますが、CMHというコンセプトは、私が「AI時代に残りやすい仕事の性質」として自ら考案し、2015年頃から主張しているものです。

ところが、最近ある人の本に「世界の専門家の多くが、AI時代にはクリエイティヴィティ、マネージメント、ホスピタリティが残りやすいと言っている」という趣旨のことが書かれているのを目にしました。「いやいや、それ言い始めたの、日本人であるオレなんだけど」と心の中でツッコミを入れてしまいました。

こうしたことも、「日本人は独自のヴィジョンを生み出さないものだ」という思い込みから来ている気がします。そして、その思い込みを私は嘆かわしく思います。もっと日本人自身が気概をもってヴィジョンを掲げていくべきでしょう。

AIソリューションプランナーとは？

ここまでは、ＡＩに対して人間に優位性がある部分を活かし、「人間、頑張りましょう」というお話でした。その一方で、ＡＩを活用していけるような人材というのも当然必要になってきます。

ＡＩを研究開発するのは理工系の人であるため、文系の自分には関係ないと思われる人も多いかもしれません。しかし、ＡＩを活用した商品やサービスの提案、現場のソリューション（解決案）を提供する仕事は、むしろ文系の人に向いています。

「ＡＩソリューションプランナー」という言葉がありますが、これはＡＩを活用して問題解決を図る方法を提案する職業のことを指します。たとえば小売の現場では、「ＡＩカメラ」を導入することで、「欠品管理」を自動化できます。これは、店内に設置されたカメラの映像を絶えずＡＩが解析して、商品が不足したらアラートを鳴らすしくみです。

こうしたシステムの開発自体は理工系の人が行うわけですが、こうした人たちは技術に精通している一方で、現場で具体的にどのような問題が起こっているのかについては、深く理解していない場合が多いです。

そのため、現場で困っている人と技術を持つ人をつなぐ役割が必要となります。そうした職業であるＡＩソリューションプランナーの需要も、これからますます高まっていくでしょう。

第2章

人工知能は私たちの仕事を奪うのか？

1. AI失業は本当に起きるのか？

歴史上繰り返し起きた技術的失業

２０１６年のＡＩブームの頃から、ＡＩが雇用に与える影響について、盛んに議論がなされてきました。私のように「ＡＩ失業」の危機を声高に唱える人がいる一方で、「ＡＩが仕事を奪うなんてことはあり得ない」と断言する識者も少なくありません。

しかし歴史を振り返れば、さまざまな技術が人々の仕事を奪ってきた事実が見えてきます。そのため、「ＡＩに限っては私たちの仕事を奪わない」などとは考えにくいでしょう。

技術がもたらす失業を、経済学では「技術的失業」と言います。これは資本主義にはつきもので、１８００年前後のイギリスで起きた最初の産業革命において、すでに目立った技術的失業が生じています。

その頃、「織機（しょっき）」（自動で布を織る機械）が普及し、それによってそれまで手で布を織っていた職人である「手織工」が失業しました。そして、怒りを覚えた手織工たちが、機械を打ち壊す抗議運動をしました。それが、みなさんが世界史で習った「ラッダイト運動」です。

20世紀初頭に自動車がもたらした失業も甚大なものでした。アメリカでは１９００〜１９２０年ぐらいにかけて、自動車が急速に普及します。それまで、欧米では馬車がおもな交通手段でしたが、その馬車を操る御者という職業が消滅したのです。

また、「計算手（コンピュータ）」も消滅した職業として有名です。コンピュータは元々、計算する人を指す職業名で、それを日本語で計算手と呼んでいたのです。この職業も、電卓と機械のコンピュータが広まったことで消滅しました。

そのほか、電話交換手やタイピストなどなくなった職業はいくつかありますが、職業の消失よりも頻繁に見られるのは、１つの職業の中で雇用が減少していくという現象です。

人は何かとゼロイチ思考で物事を考えがちです。ＡＩ失業についても、「職業が消滅するのかどうか」といった問いを立て、消滅しないと結論づけて安心する人がいます。

そうではなく、「各職業においていくらか雇用が減少する」といった程度問題に重きをおくべきです。特定の職業が消滅することはそれほど多くないにしても、この先数十年でその職業の雇用が何割か減るというのであれば、深刻な技術的失業の問題が発生するからです。

たとえば、デザイナーという職業は生成ＡＩの普及によって雇用が減少するでしょうが、消滅するとは断言できません。その理由は、ＡＩにはない独自性が発揮できる人であれば、今後も活躍できるからです。

それでも、若手のデザイナーで一生食いっぱぐれないと考えている人がいたら、よっぽど才能のある人でない限り、能天気と言わざるを得ないでしょう。デザイナーの雇用は減る可能性が高いからです。

「AI失業は大した問題にはならない」という誤解

２０１３年に、オックスフォード大学のカール・ベネディクト・フレイ氏とマイケル・オズボーン氏は、「雇用の未来」[*3]という論文を発表しました。

この論文では、アメリカの労働者のうち、47％もの人が従事する職業が10～20年後に消滅すると主張されており、ＡＩ失業に関する世界的な議論を巻き起こしました。もしも労働者の5割近くもが仕事を失うのであれば、それは確かに大変な問題です。

「雇用の未来」に対する反論の多くは、１つの職業には多数のタスクがあるというものでした。ＩＴやＡＩ、ロボットが奪うのは、たいがい多数のタスクのうちの１つや2つであり、大半ではない。したがって、職業の消滅はそれほど多くは起こらないというのです。

そのため、２０１８年頃には「ＡＩ失業は大した問題にはならない」という何となくのコンセンサスが経済学者の間で形成され、私のようにＡＩ失業を警告する人の声はかき消されてしまいました。しかし、そのコンセンサスこそが、ミスリーディングなゼロイチ思考の産物なのです。それは具体的にはこういう思考です。

図2-1　スーパーの店員が抱えるタスク

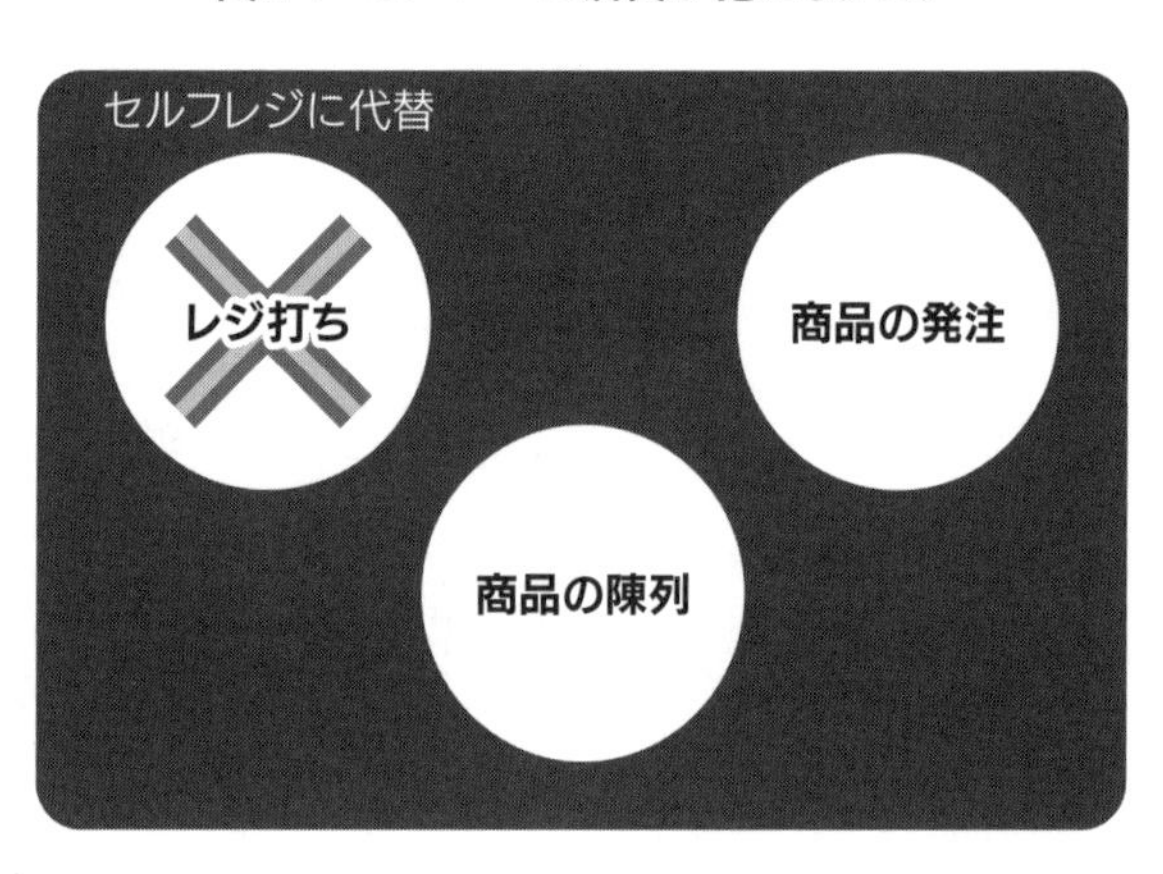

図2－1のように、スーパーの店員にはレジ打ちのほかに商品の発注や陳列といったタスクがある。このうち、セルフレジがレジ打ちのタスクを消滅させたとしても、ほかのタスクは残る。ゆえにスーパーの店員という職業は消滅しない。

このような結論が出たとしても、レジ打ちのタスクがなくなる分、雇用の何割かが減少する可能性は残ります。そうであれば、スーパーの店員が失業にさらされないとは言えないでしょう。

もう1つ、AI失業に関する議論を

ミスリードしているのは、「人間を代替する技術」は雇用を奪う可能性があるが、「人間の能力を拡張する技術」は雇用を奪わず、むしろ生産性を高めるといった主張です。

たとえば、レジ係とセルフレジは代替的です。それに対して、パワーポイントのスライドを作成してくれるＡＩは、私たちの能力を拡張するものと考えられます。営業で頻繁にパワーポイントを使う人は、こうしたＡＩが登場することによって労力を節約でき、その分より多くの仕事をこなせるようになります。こうして、拡張的な技術は生産性を向上させることができるというわけです。

しかし、「代替」と「拡張」には見かけほど違いがありません。セルフレジが導入されてレジ係が必要なくなれば、より少ない店員でこれまでと同じ量の仕事を回せるようになります。そのため、店舗をもう1軒増やすことが可能になるかもしれません。そうであれば、店員の能力が拡張されたものと考えることができます。

逆に、スライド作成係という職業があった場合、ＡＩがスライドを作成できるようになれば、その係の人は解雇されるかもしれません。あるいは、そのような専門の職業がなかったとしても、スライド作成の手間が省ける分、より少ない人数で営業を行えるようになるため、営業職の雇用が減らされる可能性があります。

代替と拡張が異なって見えるのは、代替され得る専門の職業があるかないかだけのことであり、全体として労力が節約できるようなることには変わりありません。いずれの場合も、生産性が向上し、それがために技術的失業をもたらす可能性があることには注意すべきです。

技術的失業は労働移動によって解決されてきた

これまで私は、「AIは失業をもたらすのではなく、生産性を向上させるものだ」と主張する記事をいくつも目にしてきました。この主張もまた、ミスリーディングにあたるでしょう。なぜなら、生産性向上と技術的失業は、ある局面では裏表の関係にあるからです。

新しい技術の導入によって、1人で3人分の仕事ができるように人間の能力が「拡張」されれば、3人のうちの残る2人は必要なくなり、解雇される可能性があります。この点は、先ほど述べたように「拡張」でも「代替」でもさほど変わりありません。そして、実際に雇用が減少するかどうかは、需要の動向に依存します。

生産性が高まったために商品の価格が低下して、それによって需要が十分増えれば雇用は減少せず、増大することもあります。要するに、値段が安くなったのでたくさん商品が売れて、それにより仕事が増えるという状況です。

たとえば、産業革命期に織機の導入によって綿製品が大量生産できるようになり、安くなりました。それによってたくさん売れるようになり、当時のイギリスの人々が綿のパンツを穿くという新しい習慣ができるに至ったほどです。そして、手織工の減った分を補ってあまりあるほどに工場労働者の雇用は増大しました（ただし、職を失った手織工の人たちがすぐに工場労働者になれたわけではなく、長らく失業状態におかれたことには注意すべきでしょう）。

それに対し、価格が安くなってもさほど需要が増大しなければ、生産性の向上によって人手がいらなくなり、雇用は減少します。産業革命期に比べて、今では綿製品の製造に携わる労働者は激減しているでしょう。もはや、生産性が上昇して綿の洋服が

図2-2　ロジスティック曲線

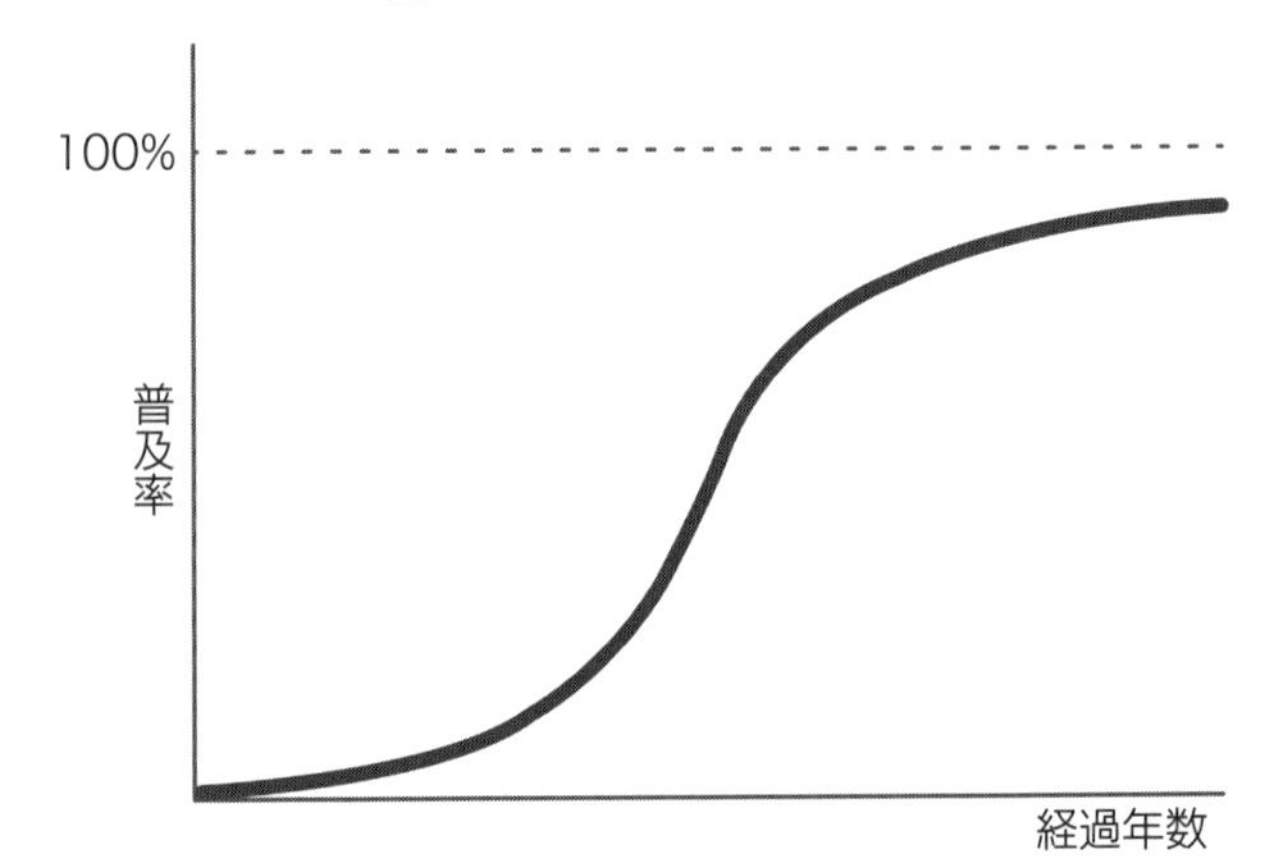

安くなっても、それほど購入量を増やさないからです。この場合、生産性が上昇すればするほど雇用は減少していきます。

生産性が上昇したときに、需要が増大するかどうかは、商品の普及度合いによって決定されることが多いです。図2－2は、横軸に経過年数をとり、縦軸に普及率をとっています。このような曲線を「ロジスティック曲線」と言います。多くの商品やサービスに関する需要は、ロジスティック曲線を描くことが知られています。

すなわち、多くの商品は普及が開始

した当初は需要が増大します。需要が増大すれば、雇用が増大する可能性がありま す。しかし、やがて需要は飽和点に近くなり、増大の伸びが鈍くなります。これ以降は、生産性が上昇してもその分雇用は減少するばかりです。

重要なのは、多くの商品が需要の飽和点を抱えているということです。どんなに価格が安いからといって、綿のパンツを100着以上持っている人はあまりいないはずです。米を1日4合も5合も食べる人は少ないですし、洗濯機を2台、3台と複数購入する人はごく限られているでしょう。

仮に、洗濯機の需要が飽和してもなお生産性が上昇し続けるならば、洗濯機の製造に携わる人の何人かは、ほかの仕事に移る必要があります。同じ会社の他部署に移ることもあれば、解雇されて別の会社や業種に移ることもあるでしょう。

このような異動や転職を「労働移動」と言います。新しい技術は度々失業をもたらしてきましたが、そのような技術的失業が長期化・深刻化することが少なかったのは、労働移動によって解決されてきたからです。この事実は、これまで経済学者が見過ごしがちな点でした。経済学の教科書では、技術的失業も労働移動もほとんど説明されていません。

経済発展を通じて起こる労働移動というダイナミズムに、改めて注目する必要があるでしょう。大きなくくりで見ると、まず農業の生産性が向上したことで、工業への労働移動が起こりました。その後、工業の生産性が向上し、サービス業への労働移動が発生しました。

図2－3のように、第一次産業（農林水産業など）の就業者数は長期的に減少しており、第二次産業（工業や建設業など）も1992年に減少に転じました。これらの産業では、生産性が向上したからこそ雇用が減少してきたという点に注意すべきです。現在の日本で就業者数が増えているのは、生産性が向上しにくい第三次産業（サービス業など）のみです。

サービス業で起きた技術的失業はどのように解決されるのか？

サービス業では物理的な定型作業が少ないため、20世紀までは機械化があまり進みませんでした。たとえば美容師の仕事は、ハサミの向きをその都度微調整しながら髪

図2-3　各産業の就業者数の推移

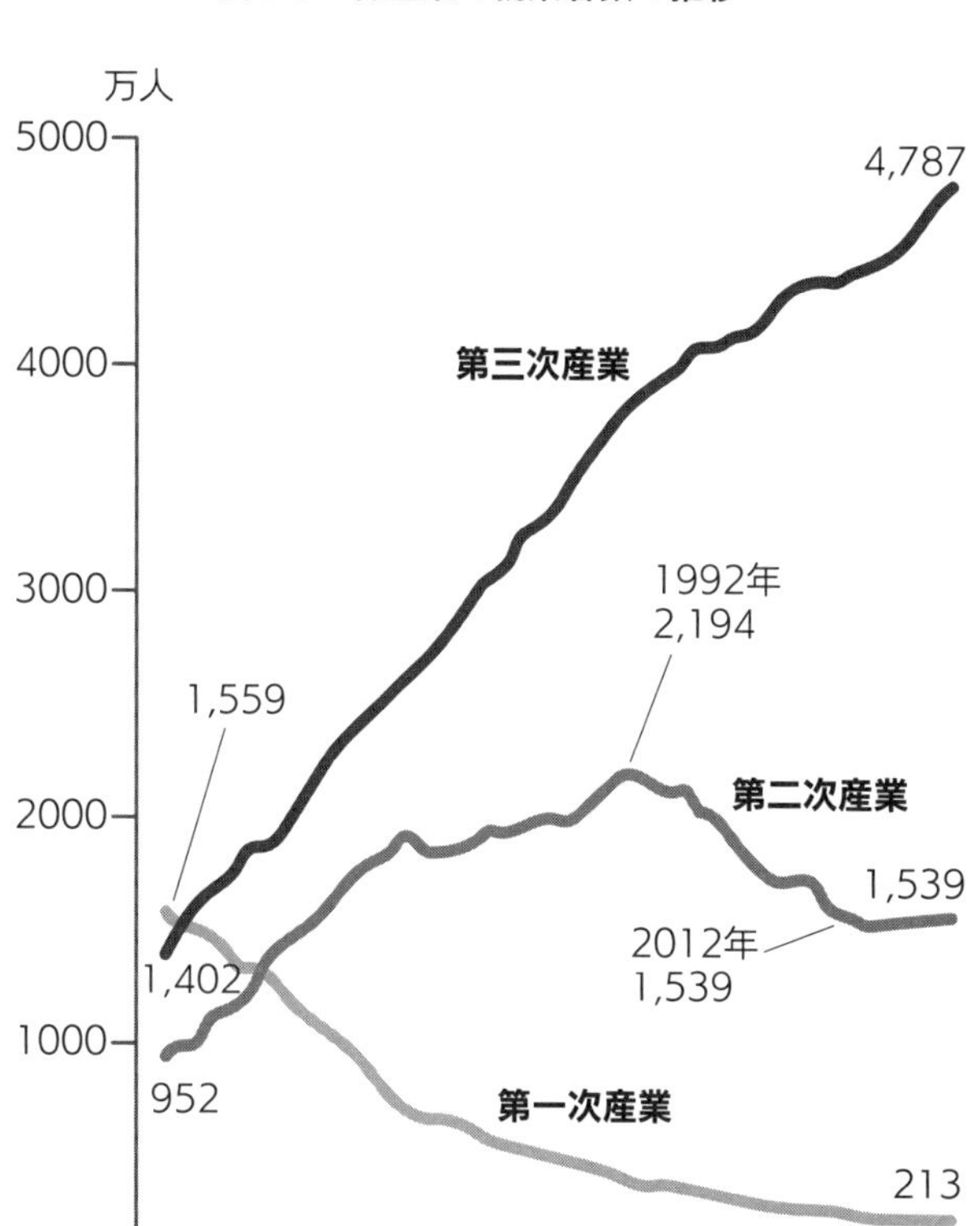

※1953～2020年の各年データ。構成比は産業不詳の就業者を除く。
※資料として参考にしたのは、総務省統計局による「労働力調査」。

出所：社会実情データ図録

をカットするような不定形な作業が多く、機械化が困難でした。

19世紀から20世紀までに、工業製品は機械化がもたらす生産性の上昇によって大量に作れるようになりました。しかし、1人のお客さんの髪の毛をカットにするのにかかる時間は、昔も今も30分程度とほとんど変わらず、生産性の向上が見られないのです。

しかし、21世紀になってからはITがサービス業を効率化し、いくつかの職種で雇用を減らすようになりました。日本ではまだ目立った動きはありませんが、アメリカではすでに旅行代理店やコールセンターのスタッフがITによって仕事を奪われ、清掃員や介護士に転職するような事態が発生しています。

要するに、サービス業内の「ホワイトカラー」(知的労働者)から「ブルーカラー」(肉体労働者)に労働移動しているのです。その際、たいていの場合賃金は低下するため、アメリカにおける賃金の中央値(中間の人の賃金)は、伸び悩んでいます。つまり、一般的な労働者は豊かになっていないのです。

アメリカでは、続く2010年代のフィンテックブームのさなかに、AIが資産運用アドバイザーや保険の外交員といった専門職の雇用を減らしていきました。これらの雇用が減ったのは、資産運用や保険に関するアドバイスをしてくれる「ロボ・アドバイザー」というＡＩを組み込んだソフトウェアが登場したからです。

証券アナリストは、企業業績などをもとに投資の判断に必要なレポートを書くのがおもな仕事です。こちらもＡＩがそうしたレポートを書けるようになったため、雇用が減少しました。

金融業は数値データを中心に扱うため、元来コンピュータに向いています。そのような事情が背景にあり、金融に役立てられるようなＡＩはすでに２０１０年代に普及していたのです。

しかし、簡単に文章を書いたり画像を作ったりすることができるＡＩは、当時はまだ登場していませんでした。それゆえに、金融業以外の多くのホワイトカラーにとってＡＩの脅威は対岸の火事だったのです。

ところが、生成ＡＩは言葉や画像を扱うあらゆる職業を脅かしています。その職業とは、ホワイトカラーのほぼすべてです。

今後、ＡＩによって生産性が向上する分、また別の業務が増えて雇用は維持されるのではないかと考える人もいるでしょう。しかし、銀行業を見る限りはそうはならないと予想できます。

というのも、日本の銀行員の数は２０１８年には約29・9万人だったのですが、２０２２年には26・４万人にまで減っています。ほかの産業に先駆けて、ＡＩによる影響をこうむった銀行業で雇用の減少が起きているのです。

ほかの業種でも、同様のことが起きるはずです。これからホワイトカラーは、ブルーカラーへ移動するか、ＡＩにはない能力を発揮するか、失業を甘んじて受け入れるか、といった選択を迫られるでしょう。

2. 生成ＡＩは各職業にどのような影響を及ぼすか？

生成ＡＩはどの程度雇用を減らすか？

アメリカの投資銀行であるゴールドマン・サックスのレポートでは、生成ＡＩが全世界で3億人分の雇用に影響すると予測されています。また、アメリカの労働者の7％が生成ＡＩに代替されるとも述べられています。しかし繰り返しになりますが、この手の予測は占いのようなもので、参考程度に留めておくべきでしょう。

生成ＡＩが今後いつどの程度進歩するのかという点について、コンセンサスはありません。また、どの程度の労働者が解雇されるのかは、経営者の心理に依存する部分もあり、そういう人の心理はなおのこと読みにくいです。さらに、雇用の変化は政府がどのような経済政策を実施するかにも左右されます。

したがって、生成ＡＩによる雇用への影響の程度についての予測は定かではありませんが、影響を受ける職業が何であるのかは、論じやすいでしょう。わかりやすいのは第1章で述べたように、クリエイターです。デザイナー、イラストレーター、漫画家、アニメーター、作家、脚本家、作詞家、作曲家などがＡＩの脅威にさらされます。クリエイターというより、自分を表現する仕事と言った方がいいとも思いますが、ほかにもモデルや俳優も大きな影響を受けるでしょう。

すでに人工知能による代替が始まっているモデルの仕事

京都にあるデータグリッド社は、「敵対的生成ネットワーク」（Generative Adversarial Network：ＧＡＮ）と呼ばれるＡＩ技術を得意としています。これは２０１４年に発表された新しい技術で、ありそうでない架空のモノの画像を作り出すことができます。

このＡＩ技術は、図２－４のように「ジェネレーター」（生成器）と「ディスクリミネーター」（識別器）から成り立っています。たとえば、犬らしい画像を作りたい場合、まずジェネレーターが犬っぽい偽の画像を作ろうとします。

図2-4　敵対的生成ネットワーク（GAN）のしくみ

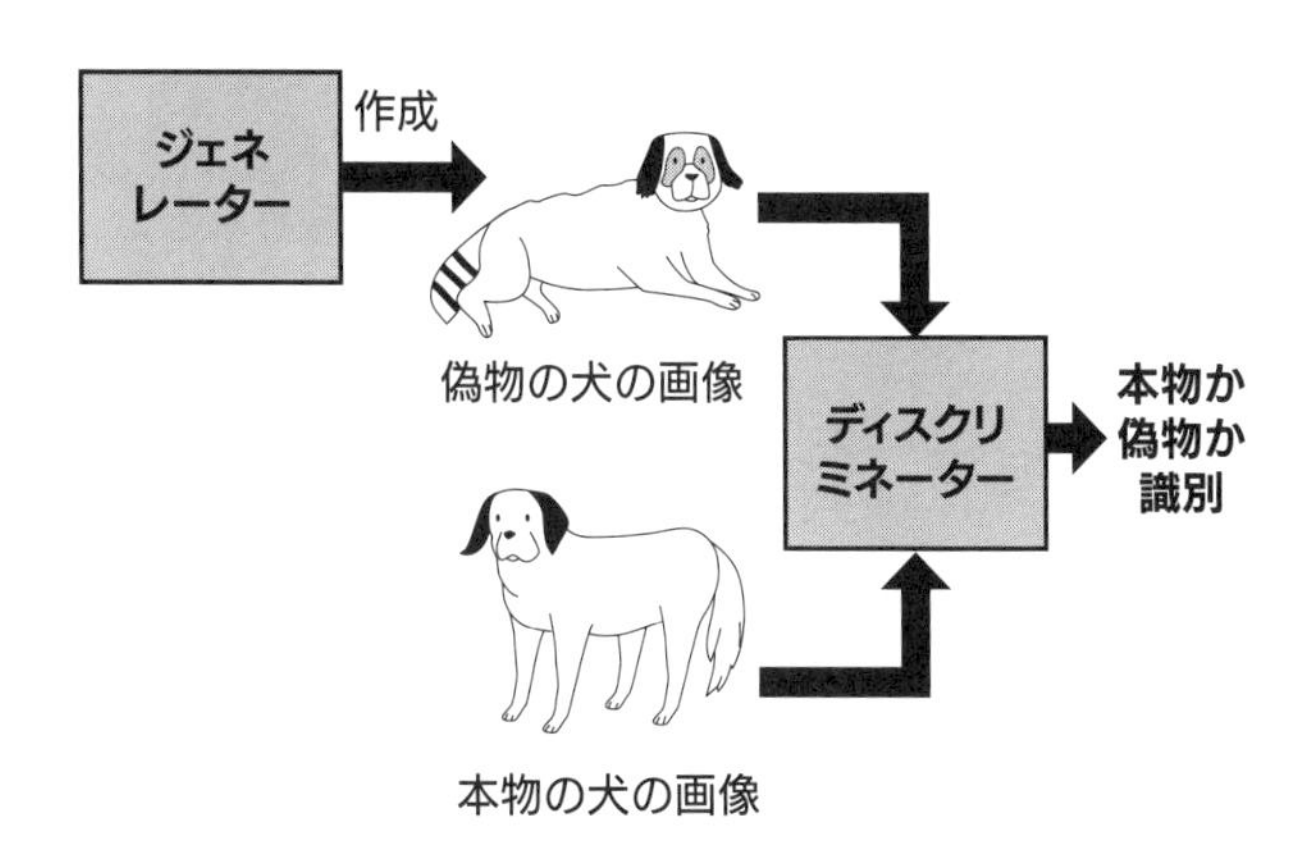

ディスクリミネーターは、そうした偽の画像を本物の犬の画像から識別しようとします。ジェネレーターは犬っぽい偽の画像を本物に近づけて、ディスクリミネーターにばれないようにします。

両者が相手と「敵対」するように自分の目的を遂げようとして、結果、本物に近い画像が「生成」されます。

同社は、この技術を使って人の画像を作るサービスに注力しています。架空のアイドルの画像を作ったり、イメージナビという会社と組んで実在しないモデルの画像を売り出したりしてい

図2-5　Stable Diffusionを使って作った人物の画像

出所：Stable Diffusionで作成

ました。

　これは２０２０年頃の話で、今ではその優位性は薄れてしまっています。図２－５は、例のサブゼミに参加している学生がStable Diffusionで作った、架空の人物の画像です。

　このように、生成ＡＩの登場によって個人でも画像生成ＡＩを使って、ＤＩＹ的に人の画像を作れるようになっているのです。

　ファッション誌の撮影などでモデルを１人雇うと、モデルの報酬のほかにカメラマンやメイク係の人件費など、多額の費用が掛かります。それに対し

ＡＩであれば、モデルの画像を簡単かつ低コストで量産できます。

個性やカリスマ性のあるモデルは生き残れるでしょう。しかし、ビジュアルが良ければ誰でも構わないというのであれば、それはＡＩで代替可能になってしまいます。

生成ＡＩによる架空のモデル画像は、もう十分商用利用できるレベルに達していると言っていいと思います。すでにネットでは、ＡＩの作ったモデル画像が広告に採用されています。特に、マッチングアプリの広告などに多用されている印象があります。

雑誌では、『週刊プレイボーイ』（集英社）が、ＡＩで生成した架空のグラビアアイドルの画像を掲載して話題になりました。「さすがは週プレ！　先端的」と私は感心したものでしたが、そのアイドルの写真集が発売されて、1週間くらい後に販売終了となりました。ＡＩの生成物を商品化することに、もっと慎重であるべきだったとのことです。

今後『週刊プレイボーイ』のような雑誌は、ネットにあふれかえるであろう生成ＡＩによるグラビア画像との激烈な競争にさらされます。なので、早めにＡＩの側へと飛び込んでいった方がよいかもしれません。

生成ＡＩは静止画だけでなく動画も作れるようになってきているため、ＣＭにも使われるようになるでしょう。アメリカではすでにＡＩのみで作ったコカ・コーラのかっこいいＣＭがあります。

ＣＭも当然、生身の人間に出演してもらえば多額の出演料がかかります。それに、出演者の俳優などが不貞行為を働いたり、麻薬に手を出したりして商品イメージが傷ついてしまうリスクもあります。

反対にＡＩが作った架空の人物であれば、多額の出演料がかからないうえに、そういったトラブルとはまったく無縁なわけです。したがって、こうした架空の人物を使ってＣＭを作ることの利便性は高いと言えます。ただし、ＣＭでは人間的な魅力のある人を起用する場合も多いため、ＡＩでそのような人材を代替するのは難しいでしょう。

事務職の雇用はますます減らされる

クリエイターほどではないにしても、一般的なホワイトカラーのような頭を使う仕事は、今後生成ＡＩが発展していくことによって広範囲に渡って影響を受けるでしょう。中でも、事務職と専門職が雇用を脅かされます。

アメリカではＩＴによって、すでに事務職の雇用が減らされています。それは先述した通り、コールセンターや旅行代理店のスタッフといった人たちです。日本では事務職の雇用が著しく減少しているわけではありません。

それでも２０２３年7月時点で、一般事務の有効求人倍率は、０・34倍でかなり低く抑えられています。３人に１人くらいしか採用されないことになるため、狭き門だと言えます。リーマンショック後の２００９年から全体の有効求人倍率が長期的に上昇しているにもかかわらず、一般事務の有効求人倍率は低迷し続けているのです。

これまでもMicrosoft Officeのような便利なソフトウェアや経理システム、そのほかさまざまな情報システムの導入によって、事務職の仕事は効率化されてきました。近年では、「ロボティック・プロセス・オートメーション」（ＲＰＡ）によって、定型的な事務作業の自動化が図られています。

そこへChatGPTのような言語生成ＡＩが加わる形です。さらに、ＧＰＴの機能は「Microsoft 365 Copilot」という名前で、「Microsoft 365」に組み込まれることになっています。「Copilot」（コパイロット）というのは副操縦士のことで、ここでは手助けをしてくれるといった意味合いがあります。Microsoft 365というのは、Microsoft Officeのサブスクリプションサービスです。

ＧＰＴがサポートしてくれることによって、私たちがエクセルやパワーポイントで資料などを作る作業はますます楽になるでしょう。ただし今でも、ChatGPTに「プラグイン」（機能を拡張するソフトウェア）を入れれば、簡単にグラフを描かせることができますし、パワーポイントのスライドを作らせることもできます。

そのため今後は、事務職の人に書類作成を依頼する機会が減っていくでしょう。たとえば、ＧＰＴに限らずですが、言語生成ＡＩがメールソフトに組み込まれるようになれば、メールで依頼された書類の作成は一瞬で済むようになります。

これまで営業職の人は、「請求書を作成して送付してください」というメールが届けば、自分で作成するか、事務職の人に作成してもらう必要がありました。

将来的にはメールが届いた瞬間に、ＡＩが「請求書を作成し、〇〇さんへの返信メールを書きました。これでよろしいでしょうか？」と知らせてくれて、私たちは確認してＯＫボタンを押すだけで済むようになります。書類作成という業務の負担が劇的に軽くなり、ＡＩが作成した書類の確認と若干の修正くらいで仕事が完了するようになるのです。

書類作成だけが事務職の仕事ではないため、職業自体が消滅するわけではありません。ただ、雇用が著しく減少すればそれだけでも深刻な問題です。一般事務の有効求人倍率は、現在の０・34倍からさらに大きく低下する可能性が出てきたのです。

専門職も人工知能に脅かされる未来

すでに述べた通りですが、アメリカでＡＩによって雇用が減っていた職業というのは、証券アナリスト、保険の外交員、資産運用アドバイザーといった金融系の専門職でした。それに、「パラリーガル」（弁護士助手）も加えられるでしょう。

パラリーガルという職業は、１つには膨大な書類やテキストデータの中から、裁判に必要な部分だけを抽出してまとめるような作業を担います。そういう作業はＡＩで代替できるため、アメリカではパラリーガルの仕事も減ってきています。

これは日本の話ですが、不倫に関する民事裁判があれば、膨大なメールの中から不倫の証拠を抽出する作業が必要となる場合があります。人間が行ったら長い時間がかかりますが、テキストを解析するＡＩであれば短時間で終わらせられます。これまでも、簡単なテキストデータの処理程度であればＡＩで可能だったのです。

こうして、金融系の専門職とパラリーガルに限っては、アメリカではすでにＡＩに雇用が減らされました。しかし、ChatGPTのような言語生成ＡＩの出現によって、会計士、税理士、弁護士、司法書士、ジャーナリスト、研究者、教員、コンサルタントといったあらゆる専門職の雇用が脅かされることになりました。

こういったスペシャリストは、専門的な知識を人に伝えたり、それを活かして何かを作成したりすることを主な生業（なりわい）にしています。税理士であれば、税務に関する知識を人に教えたり、確定申告書を作成したりします。

しかし、これからは言語生成ＡＩがそうした業務を肩代わりできるでしょう。こういった職業で生き残りを図るには、顧客が抱えている疑問や不安を察知し、かゆいところに手が届くようなホスピタリティを発揮することで、ＡＩに対する優位性を保っていく必要があります。

大学教員は人工知能で代替可能か？

私のような大学教員も、うかうかしていられません。たとえば、講義で使うパワーポイントの資料なども、「マクロ経済学の授業15回分のパワポ資料を作って」とＡＩに頼めば、数分くらいでぱっと作ってくれるようになるでしょう。

その資料に沿って話す内容も、文章として作成してくれるはずです。そうしたら、教員が楽になっていいと思うかもしれませんが、仕事が楽になることと雇用が減ることは裏表の関係にあります。

たとえば、１科目あたりの負担が半分に減る代わりに、１人の教員が担当する科目が倍に増えて、その分教員の人数が半分に減らされるということになりかねないからです。実際には大量の解雇は起きないにしても、教員の新規採用が減らされる可能性があります。

さらに言えば、話したい内容のテキストデータと自分の顔写真があれば、ＡＩを使って顔写真の口をパクパクさせ、自分のアバターにその文章をしゃべらせることもできます。

図２－６の左は私の写真で、右はその写真を元に「D-ID」というサイトで作った「しゃべる動画」の画面イメージです。人物の画像とテキストをこのサイトにアップロードすれば、その人物がテキストの内容を話しているかのような動画を作ることができるのです。

この動画を見た知り合いが勘違いして、「井上さん、もうちょっと表情豊かに話す訓練をした方がいいよ」とアドバイスしてきました。口以外はそれほど動かないため、不自然だと感じたのでしょうが、ＡＩが作ったものとまでは思わなかったくらいの出来栄えだということです。

そうした技術を全部組み合わせれば、講義の動画がほぼ自動で作れるため、「人間

図2-6　しゃべり出す著者のアバター

元の著者画像

発話中の著者（動画のワンシーン）

出所：D-IDで作成

の教員はいなくてもいい」ということになりかねません。

　ただし、これはあくまでも映像であるため、生身の教員が講義をするよりは臨場感に欠けるでしょう。それでも、教員の中には話すのが得意でない人が少なくないため、学生にとってはＡＩの作った映像の方がわかりやすいかもしれません。

　そもそも、「ミクロ経済学」とか「マクロ経済学」といった決まりきった内容であれば、日本でもっとも説明がうまい人が動画を作り、それを学生に視聴してもらった方が、下手な講義を受けるよりも効率がいいでしょう。

しかし、教育現場は保守的であるため、生身の教員が教壇に立って講義を行うというこれまでのスタイルを、そう簡単に捨て去りはしないはずです。「ＡＩの組み合わせで全部いける」、もしくは「優れた1つの動画を使いまわせばいい」と思っても、すぐには実行に移さないのです。

そのせいか、大学教員は私も含めてですが「自分たちは安泰だ」とあぐらをかいている人が少なくありません。しかしビジネスは競争が激しいので、どんどん新しい技術を導入して、人件費を削減しようとします。

それが必ずしもいいことだとは思いませんが、世の中がそうである以上、大学教員はもう少し世の中の厳しさを知った方がいいでしょう。大学教員はのほほんとしすぎです。自戒の念も込めて、そう申し上げておきたいです。

大学教員の仕事には、教育だけではなく研究もあります。このことを知らない学生が意外にも多く、「先生って夏休みは何をしているんですか？　暇じゃないですか？」と聞かれることがあり、その度に苦笑しています。

研究とは、調査や分析を行って、その結果を論文や本にまとめて発表するという営みです。その際、自分のテーマに関連した論文を探してきて読む必要があるのですが、私にとってそれは面倒で苦手な作業です。

しかし、今ではChatGPTが「この論文を読めばいい」と教えてくれますし、英語の論文を日本語に訳すことも容易にできます。さらには、指定した字数で要約も可能で、なんなら論文の執筆自体すらChatGPTでできてしまいます。

２０２３年３月には、途中までChatGPTに書かせた論文が学術雑誌に掲載されています。それは、「チャットと不正行為[*4]」というタイトルのChatGPTに関する論文です。論文の審査員は、著者たちが論文の中でChatGPTに書かせたことを明かすまで、人間が書いた文章だと思い込んでいたようです。

理工系の研究では一般に、試験管に薬品を入れてかき混ぜるというような作業が必要なので、ＡＩに論文を書かせるだけで研究が完結するわけではありません。それでも、文系では分野によっては、論文執筆のすべてをＡＩに任せることもできるでしょう。

学術論文に関して、1995年に「ソーカル事件」という事件が起きています。アメリカのアラン・ソーカルという物理学者が、自分で無内容だと思うような哲学系の論文をもっともらしく見えるように執筆し、学術雑誌に投稿したところ、論文審査を通ってしまったのです。

そんなふうに、上辺だけの適当な言葉を書き連ねて文章を作ることはＡＩの得意技と言ってもいいでしょう。ＡＩの執筆した文系の論文が審査に通るような事案が、そろそろ起こってもおかしくないと思います。

図2－7は、ChatGPTに「唯識と独我論の違い」というテーマで、哲学の短い論文を書かせたものです。これでも、ある程度内容がちゃんとしたものですが、もっと専門の論文を読み込ませて書かせれば、審査に通らないとも限りません。

とは言うものの、文系の研究はすべてＡＩに任せればいいと主張したいわけではもちろんありません。人間の研究者はＡＩにはできないような、意味のある成果を生み出していかなくてはならないのです。

図2-7　哲学に関する論文を書くChatGPT

哲洋　あなたは哲学の教授です。「唯識と独我論の違い」というテーマで論文を書いてください。箇条書きを使わずに全て文章の形でお願いします。また、である調でお願いします。

承知しました。哲学の教授として、「唯識と独我論の違い」というテーマで論文を書きます。

唯識と独我論の違い：認識と存在の哲学的探求

東洋と西洋の哲学は、その歴史の中で多くの思想を生み出してきた。中でも、認識と存在に関する問いは、哲学の中心的テーマとして常に探求されてきた。この探求の中で、東洋の「唯識」と西洋の「独我論」は、それぞれ独自の視点からこの問いに答えを求めている。

唯識は仏教哲学において重要な位置を占める思想である。この思想は、外部の物事や現象が独立して存在するのではなく、それらは我々の意識の中でのみ認識されるという考え方に基づいている。外部の現実は我々の意識や心によってのみ形成され、その実在性は主観的なものとして捉えられる。このような視点は、物事の真実や実在が個々の認識や意識によって異なるという考え方を導き出す。

一方、独我論は西洋哲学におけるルネ・デカルトの思想に端を発する。デカルトは「我思う、ゆえに我あり」という命題を通じて、自己の存在と認識を確立した。この「我」という存在は、自己の認識とともにその存在を確認するものとして捉えられる。外部の現実や他者の存在はこの「我」を基点として考察され、その真実や実在性は「我」の認識を通じて確認される。

唯識と独我論の間には明確な違いがある。唯識は認識の主体としての「意識」や「心」を中心に据え、外部の現実をそれを通じて捉える。独我論は「思考する我」を実在の確実性の基盤として位置づけ、その上で外部の現実を考察する。これらの違いは、東洋と西洋の哲学的伝統や文化的背景に根ざしていると考えられる。

この探求は、哲学が常に追求してきた「認識」と「存在」というテーマを通じて、東西の思想がどのように交差してきたのかを示している。

出所：ChatGPTで作成

プログラマーも生成AIに代替される

今ChatGPTを一番使っている職業は、プログラマーでしょう。これは元々、AIのようなコンピュータ技術を使いこなすことに長けた人がプログラマーに多いということもあるのですが、それだけChatGPTが見事にプログラムを書けてしまうということでもあります。

ChatGPTが出てきた直後のタイミングである2022年12月に、私は前述したAIについて勉強するサブゼミで、ChatGPTがプログラムを書く様子を学生に見せました。すると、学生の1人が「先生、もう人類終わりじゃないですか!?」と悲痛な叫びをあげていました。AIがプログラミングまでできてしまうならば、人は何もすることがなくなってしまうのではないかと危惧したようです。

しかも、4月から数か月間プログラミングを学んでいた彼らにとっては、「今までの僕たちの努力は何だったの?」といった徒労感を味わわされたかっこうになりました。学生たちには、申し訳ないことをしたと若干悔いています。

前のAIブームが始まった2016年頃、私も含めてみんなが予想できなかったのは、プログラマーの仕事がＡＩに代替される見込みが立つのが、こんなにも早いタイミングだったことです。これもプログラマーという職業がなくなるわけではなく、ＡＩを使うとかなり効率が上がるということですが、その分プログラマーの頭数は少なくて済むようになります。

今でも、「GitHub Copilot」（ギットハブ コパイロット）というＧＰＴを利用したプログラム自動補完システムを使うと、作業をかなり効率化できます。56％ほど作業時間を短くできるという実験結果もあります。*5

なお、今のところ生成ＡＩは、Ｗｅｂサイトや企業の情報システムをまるごと作成してくれるわけではありません。プログラム言語の書き方をまったく知らないプログラマーが活躍するようになるのは、まだ先の話でしょう。

営業は残りやすい職業

こうして見ていくと、クリエイター、事務職、専門職のいずれであっても、優れた人は生き残るけれど、中途半端にやっていると「機械との競争」に負けて、仕事を得るのが難しくなります。

つまり、卓越したアイディアやＡＩに負けないような表現力、ＡＩにはないホスピタリティなどを持たない人は淘汰される可能性があるのです。ひどい話ですが、それが現実に起き得ることである限り、やはり私たちは危機感を持たざるを得ません。

逆に、ホワイトカラーの中で生成ＡＩに脅かされにくいのは営業の仕事でしょう。ただし、BtoC の営業（消費者向けの営業）は、そもそもすでにＩＴに置き換えられています。保険の外交員がまさにそうで、昔は親戚のおばさんが保険を売ってくるといったことがよくありました。

今は、対面での営業行為が好まれにくい時代です。それに、ネットで保険を買うことが普及してきて、各自がそれぞれ好きな保険に加入すればいいという風潮になっています。銀行の人から「投資信託を買いませんか」と勧められることがありますが、私個人が受けている営業はそれぐらいです。

一方で、BtoB の営業（企業向けの営業）は、未だに人同士の信頼関係のもとに取引をしています。納期に間に合わないなどのトラブルが生じた際には、発注元は発注先の誰か、つまり人間に責任を取って欲しいわけです。あるいは、接待をしてお酒を注いだり相手をほめちぎったりするのも、今のところロボットというわけにはいきません。

このように、人と人が対面で取引をすることが主流であるため、BtoB の営業は当面、目に見えて減ることはないでしょう。現在のＡＩ技術の延長線上で考えたときに、営業は比較的残りやすいホワイトカラーの仕事であると言えそうです。

とは言え、発注先と発注元を自動でマッチングするようなＡＩのサービスも出てくるでしょう。そうしたサービスが増えていくことで、営業も多くの部分がＡＩに任せられるようになるはずです。もっとも、商慣習が根強く残り続けるため、ＡＩ任せになるにはかなりの時間がかかるものと考えられます。

販売員は生成ＡＩに代替可能か？

衣料品店やビックカメラのような家電量販店に行くと、商品の説明をしてくれる販売員がいます。そういうお店の販売員は、生成ＡＩの台頭でどうなるのでしょうか？

すでに、お店に行かずにアマゾンなどのECサイトで物を買うことが、消費者の間で一般化しています。また、そもそもお店自体の数も減少しているため、それに応じて販売員も減少しています。それとは別に、生成AIに販売員を減らす可能性はあるのでしょうか？

一時期は、ペッパーのようなロボットが販売員を務めるという期待もありました。それがうまくいかなかった理由は、かつてのAIは人とのコミュニケーションがそんなに得意ではなかったからです。

ところが今では、ペッパーにGPTを組み込む試みもなされています。それが実現すれば商品の説明もできて、お客さんの質問にも柔軟に答えられる人型ロボットが実現できるでしょう。そうしたら販売員という職業がすぐ消えてなくなる、という話ではありませんが、徐々に置き換わっていく可能性があります。

ただ、ロボットは物理的な機械であるため、1台1台製造にコストがかかります。ソフトウェアのAIとは違い、限界費用はゼロではないのです。メンテナンスも必要で、動かなくなった場合には修理の人を呼ぶ必要があります。そうであれば、人を雇った方が安上がりということになりかねないでしょう。

販売員に向いているのは、ロボットよりも言語生成ＡＩを組み込んだバーチャルヒューマンだと思います。商品棚にディスプレイが設置してあり、そこに３Ｄグラフィックスの人が映っていて、商品に関する説明をしてくれるようなイメージです。

ただし、バーチャルヒューマンの場合、お客さんが「スマホケースはどこに売っていますか?」などと尋ねたときに、その場所に連れていくことができません。衣料品店で、倉庫から洋服を持ってきてお客さんに手渡すということもできないでしょう。空間的な移動を必要とするような接客ができないのが難点で、一長一短です。

3．生成AIと労働市場のミスマッチ

なぜブルーカラーよりもホワイトカラーの方が先に危機に陥るのか？

これまで生成ＡＩによって、クリエイター、事務職、専門職といったホワイトカラーの仕事が脅かされるという話をしてきました。店頭の販売員はそこまではないにせよ、徐々に減少し、営業は比較的安泰だと説明しました。

他方、ブルーカラーはどうかというと、雇用が脅かされるどころか、当面の間は人手不足が続くでしょう。ブルーカラーの仕事を代替するには、ソフトウェアとしてのＡＩを開発するだけでは不十分で、それがロボットのような物理的な機械に組み込まれなければなりません。

先ほども述べたように、生成ＡＩをロボットに組み込む試みがなされています。言語生成ＡＩの技術においては、グーグルもChatGPTを開発したOpenAIと並ぶほど

優れており、それをロボットに組み込む研究も進めています。

２０２２年に行われたグーグルによるデモンストレーションでは、飲み物の入ったボトルを人が倒して、テーブルが水浸しになるというシチュエーションが用意されました。そこで、その状態に置かれた人が「こぼしちゃった、助けて」と言うと、ロボットが台所からスポンジやふきんを持ってきて拭いてくれたのです。

これは、「助けて」という言葉がその状況で何を意味するのかを、ロボットが理解したということです。この状況を判断するためには、まず画像認識ができないといけません。そのような画像認識の技術と、その文脈で「助けて」の意味を的確に理解する言語生成ＡＩの機能が組み合わさり、総合的に何をすればいいのかをロボットが判断できたのです（図２－８は、「軽食を持ってきて」というタスクに応えるロボットの様子です）。

人間にとっては簡単なことでも、ＡＩにとって置かれた状況や文脈に沿った判断をするというのは、これまでかなり難しいことでした。同じ「助けて」でも、状況が違えばなすべきことは異なるわけですが、そのような状況に応じた判断もできるように

図2-8　「PaLM-SayCan」を応用したヘルパーロボット

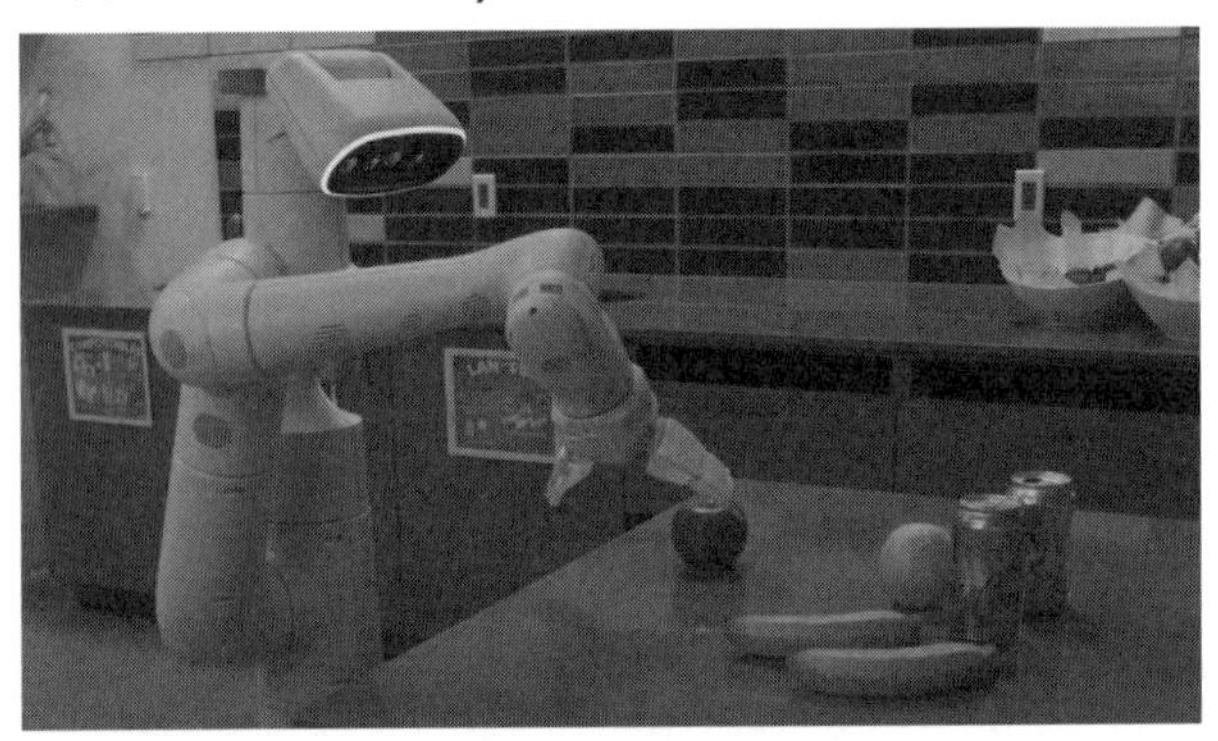

Googleのロボット AI研究プロジェクトが開発した技術「PaLM-SayCan」を応用したロボットが、卓上のリンゴをつかもうとする様子。「軽食を持ってきて」というタスクが要求された際に、それに応答できる。
出所：Google ResearchとEveryday Robotsによる「PaLM-SayCan」公式ホームページ

なってきたのです。

　このように技術は進んできているのですが、それでもロボットを1台1台作るのにはかなりのコストがかかるため、ChatGPTのように瞬く間に普及するというようなことは起きません。

それに、ロボットは手先が器用ではないため、人のようには細かい作業ができません。

　私は、あるビルメンテナンス会社の顧問を務めています。その会社では、人にビルを警備させるよりも安上がりかもしれないということで、ロボット警備員の試験的な導入を図りました。

ロボットが1階のフロアを警備し、次に2階に行くことになりますが、階段は登れないので、エレベーターで行くしかありません。そのためには、上に行くためのボタンを押す必要がありますが、ロボットはそのボタンが押せませんでした。それで結局、警備ロボットの導入は断念することになったのです。

これは意外なことだと思いますが、5歳児でもできることでも、ロボットには困難なことがあります。人は手先をうまくコントロールし、絶妙な力加減でボタンをポチッと押すことができます。このような基本的な動作には、何も難しいことはないと思いがちですが、ロボット工学の観点から言うと、私たちは日々とてつもなく高度なことをやってのけているのです。

ＡＩやロボットは、大人でないと難しい知的作業は得意ですが、幼い子どもでも簡単にできるような動作が逆に困難です。このようなねじれは、そう指摘したＡＩ・ロボット研究者のハンス・モラベック氏にちなんで、「モラベックのパラドックス」と言われています。このパラドックスが存在するために、肉体労働を担うブルーカラーよりも、頭脳労働を担うホワイトカラーの方が先に危機に陥るのです。

労働市場におけるミスマッチが拡大する

ブルーカラーの雇用も、いつまでも安泰というわけにはいかないでしょう。もっともシンボリックなのは、運転手を必要としない完全自動運転車の普及です。それによって、トラックやタクシー、バスの運転手が雇用を減らされることが容易に想像できます。しかし、日本においてそれはまだ10年ほど先の話です。

この遅れは、逆に日本経済に大きな問題として立ちはだかります。というのも、今でもブルーカラーの仕事は軒並み人手不足に悩まされているからです。たとえば、建築現場で働いている人たちの有効求人倍率は、２０２３年7月時点で5・29倍ほどです。これは5人募集しているのに1人ぐらいしか応募してくれないという状況で、かなりの人手不足です。

ブルドーザーやショベルカーといった「建機」（建設機械）の自動化されたものを「自動建機」と言います。そのような機械も普及しつつありますが、まだまだ建設現場では人を必要とする作業が多いのです。にもかかわらず、体を動かす大変な仕事であるため、特に若者の応募は少なくなっています。大学進学率が上がったことも、人手不足に拍車をかけています。

これは中国やトルコで際立って起きていることですが、大学進学率が上昇すると若者の失業率が上昇します。中国では、２０２３年6月時点の若者（15〜24歳）の失業率は、21・３％にまで高まっています。潜在的には50％近くという推計もあります。これは日本もそうですが、仕事探しを諦めた人は失業者としてカウントされないからです。そこまで含めると、若者の半分が仕事をしていないという驚くべき実態が見えてきます。

なぜそんなに失業率が高いのかというと、大卒のほとんどがホワイトカラーの仕事に就きたがるにもかかわらず、十分なホワイトカラーの仕事がないからです。特に中国では、ＩＴ化・ＡＩ化によってホワイトカラーの雇用は抑制されています。その一方で、ブルーカラーの仕事では人手不足が生じているのです。

日本では少子化の影響もあって、若者（16〜24歳）の失業率はそこまで高くなく、２０２１年には４・６％ほどでした。それが中国やトルコとは異なる点ですが、日本でも労働市場の巨大なミスマッチが発生していることには変わりありません。すなわち、ホワイトカラーでは事務職のように人手の余っている職種がいくつもあるのに、ブルーカラーの方は全般的に人手不足に悩まされているのです。

そして、ＡＩは普及が速いのに対し、ロボットの普及は遅いという速度差が、ますますこのミスマッチを拡大させることになります。それを防ぐには、ブルーカラーの地位向上と賃金上昇を図るような国の政策が必要でしょう。

第3章

人工知能が引き起こす新たな産業革命

1. 人工知能の歴史的な進歩と産業革命

人工知能が産業のあり方を変えるようになるまで

「人工知能」というと、最近出てきた技術と思っている人が割といるようですが、じつはこの言葉は１９５６年から存在しています。その年、ダートマス大学で開催された「ダートマス会議」という学術的な会合に、コンピュータ・サイエンスの著名な研究者たちが集まり、そこで初めて公に人工知能という言葉が使用されました。

この会議をきっかけに、「第一次ＡＩブーム」が訪れ、１９６０年代まで続きました。この時期には、チェスをするＡＩや数学の定理の証明をするＡＩが開発されました。しかし、現実社会の問題を解決できるＡＩはほとんど実現できず、期待は落胆に変わって１９７０年代には「ＡＩ冬の時代」と呼ばれる停滞期に突入します。

１９８０年代に入って再びＡＩブームが巻き起こりました。それが「第二次ＡＩブーム」で、代表的な研究成果に「エキスパートシステム」があります。これは専門的な知識について応対することができる情報システムで、医療診断などに用いられました。

このエキスパートシステムは、「ルールベースのＡＩ」です。たとえば、専門家が「もし喉が痛くて、かつ熱が高ければ、風邪の可能性が高い」といったルールを与えて、そのルールに基づいて推論し、風邪かどうかを判断するというようなシステムでした。

しかし、医療診断のように現実的な物事を判断するには、膨大なルールをＡＩに与える必要があります。また、ルールとして明確化できない知識である「暗黙知」を取り込むことができないのも、ルールベースのＡＩの欠点です。

医療の現場においては、医者が患者の様子からなんとなく風邪だと判断することがあると思います。その「なんとなくの感覚」が暗黙知であり、それをルールとして表現することができなかったのです。

極端に言えば、ルールベースのＡＩは、人間の与えたルール通りにしか動かない杓

図3-1　機械学習ベースのAIによるルール抽出

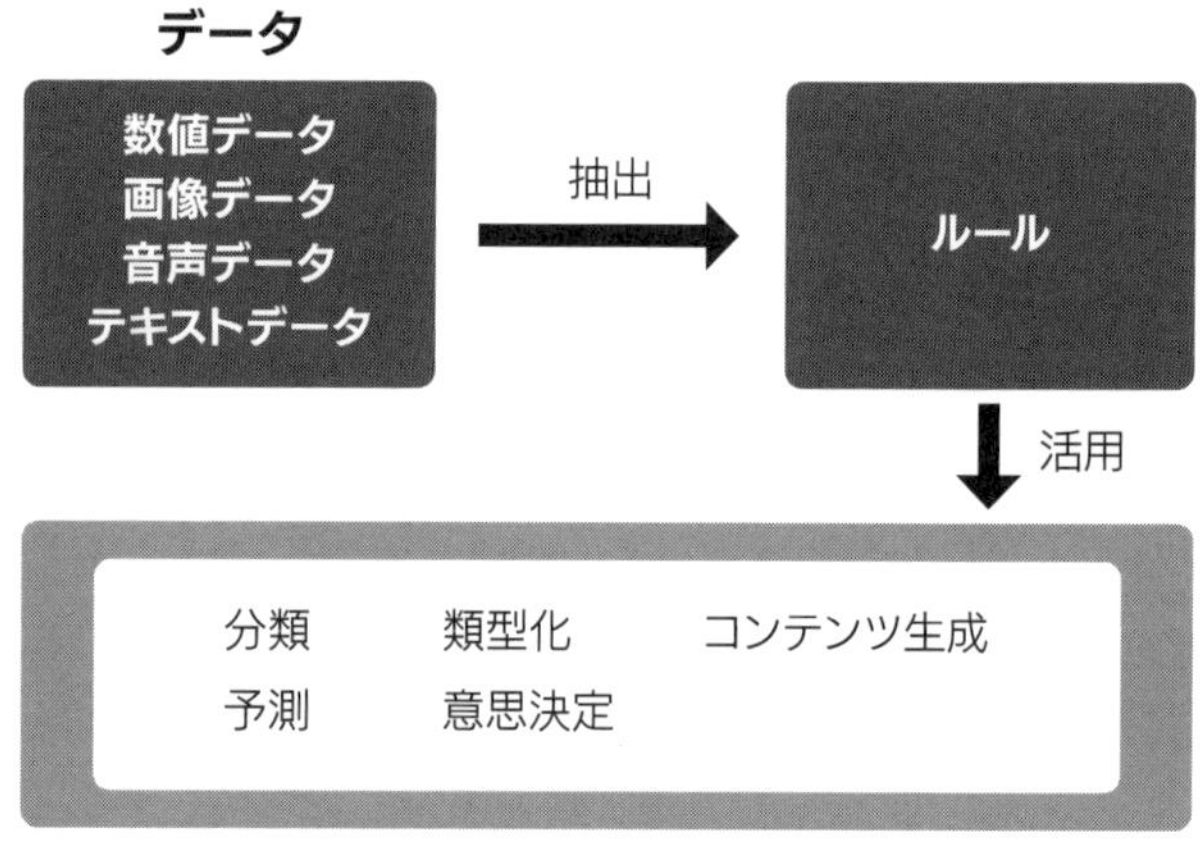

子定規なＡＩです。それでやはりＡＩは現実的な問題に柔軟に対応することができず、１９９０年代にはまた冬の時代が訪れました。

20世紀の代表的なＡＩが、「ルールベース」であるために限界を抱えていたのに対し、21世紀のＡＩは「機械学習ベース」であるがゆえに、その限界を超えることになります。機械学習ベースのＡＩは、図３－１のように、たくさんのデータを読み込んでそこから自分でルールを抽出し、そのルールに基づいて「分類」や「意思決定」などを行います。

画像認識も分類の一種で、たとえばさまざまな動物の画像を、犬の画像や猫の画像など種ごとに分類します。意思決定というのは、最適な結果を出すために何かを選択することです。「○○しよう」という気持ちを抱くことである「意志」とは異なっています。

意思決定の事例として、囲碁ＡＩが盤のどこに石を置くのかを決定することが挙げられます。なお、ＡＩが読み込むデータには、数値データやテキストデータ、画像データ、音声データなどがあります。

機械学習も20世紀からある技術ですが、「ディープラーニング」（深層学習）の登場によって21世紀のＡＩは機械学習ベースが主流になります。ディープラーニングとは、「ニューラルネットワーク」という技術の一種です。

ニューラルネットワークは脳の神経系を真似た技術で、「ニューロン」（神経細胞）に相当するユニットやニューロン同士をつなぐ「シナプス」に相当するリンクを備えています（図３－２と図３－３）。今のＡＩは局所的には脳の神経系に似せた構造を採用していますが、全体的にはそれほど似ているわけではありません。

図3-2　ニューロンとシナプスのイメージ図

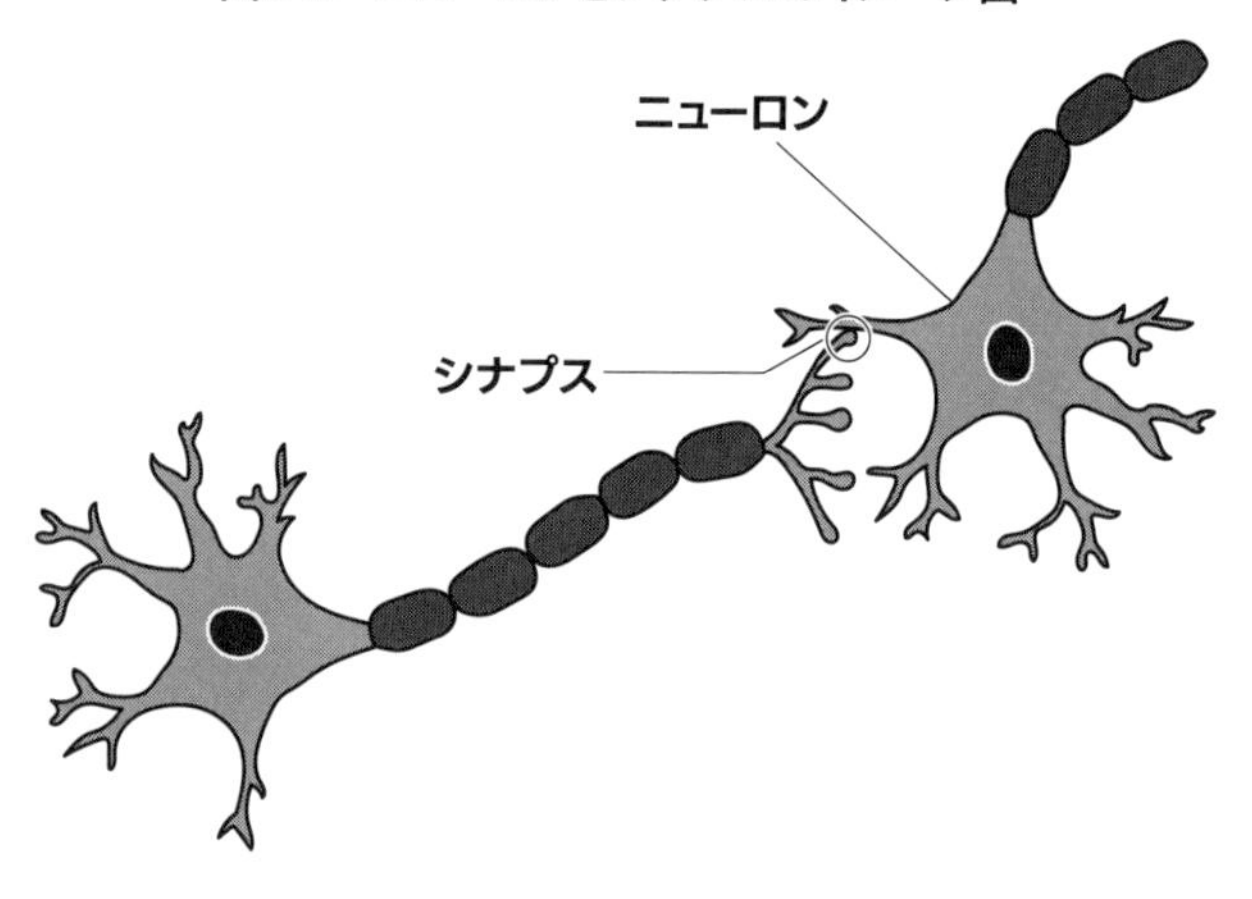

脳の神経系の構造をソフトウェアとしてすべて再現できれば、かなり人間に近いＡＩができると思います。しかし、人間の脳には１０００億ほどのニューロンと１００兆ほどのシナプスがあって膨大です。

そのような人間の脳の神経系の構造を表した地図を「ヒト・コネクトーム」と言います。東京の地下鉄などの路線はかなり入り組んでいますが、その路線図に相当するのが、ヒト・コネクトームです。人類がそれを手に入れて、入り組んだ構造をすべてソフトウェアとして再現できるのは来世紀にな

図3-3　ニューラルネットワークのイメージ図

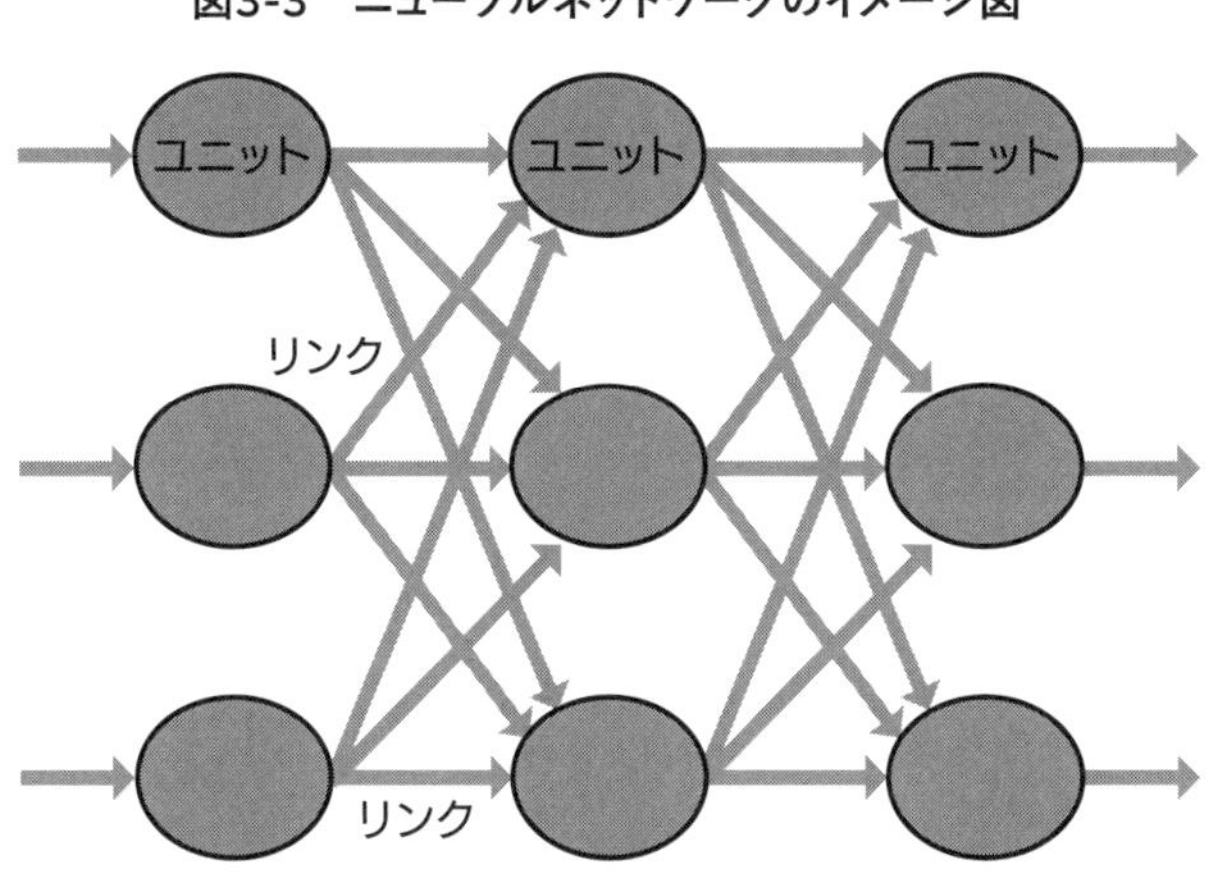

ると言われています。

したがって今のところ、人間が認識したり考えたりするのと同様の知的振る舞いをするように、手探りでニューラルネットワークを構築していく必要があります。その場合、振る舞いが表面的に人間に似ているだけで、ニューラルネットワークの構造は脳の神経系とは異なってしまうのです。

いずれにしても、知的振る舞いのレベルをあげようとすると、ニューラルネットワークを複雑化する必要があります。しかし、複雑化したことによる問題が発生し、20世紀にはニューラルネットワークはほとんど実用化されませんでした。*6

しかし、カナダのトロント大学名誉教授のジェフリー・ヒントン氏がニューラルネットワークを複雑化（層を深く）しても問題が生じないような技術を考案し、2006年に論文として発表しました。*7 それが、ディープラーニングの起源と見なされており、今やヒントン氏は「ＡＩ界のゴッドファーザー」と呼ばれています。

このディープラーニングが、2010年代に広く使われるようになり、第三次ＡＩブームを巻き起こし、日本でも2016年頃に一気に注目度が高まりました。その頃、ディープラーニングは「音声認識」「自然言語処理」「画像認識」の3つが主な使い道でした。

音声認識は人の声を文字に起こすような技術で、文字起こしソフトに応用されています。最近では、文字起こしソフトを使って、会議の議事録を作る会社が増えてきており、私の大学でも労働組合の会議などで利用されています。ほかにも、取材の際に録音した音声の文字を起こす作業や、動画にキャプション（字幕）を付ける作業などにも活用されています。

自然言語処理は、日本語や英語のような言葉を処理する技術で、自動翻訳やチャットボットなどに使われます。ChatGPTのような言語生成ＡＩも、自然言語処理技術の応用例です。

画像認識は、すでに何度か取り上げていますが、画像に映っているものが犬なのか猫なのかを見極めるような技術です。２０１６年当時は、もっとも産業へのインパクトが大きいＡＩ技術と考えられていました。画像認識は、ディープラーニングが応用されることによって人間以上に見極めの精度が高まっています。つまり、人間よりも正しく、犬の画像を見て「犬」と言い当てられるようになったのです。

こうした技術進歩を指して「機械に目が備わった」という言い方をします。たとえば、画像認識を備えた収穫ロボットは、熟したトマトとそうでないトマトを見極めることが可能です。こうした収穫ロボットはいわば目を備えているのです。

「画像認識を備えたロボットやさまざまな機械が、製造業だけでなく農業やサービス業のような、不規則な環境の中でケースバイケースの判断が必要となる現場で使われるようになれば、経済に大きな革命が起きるだろう。画像認識は、潜在的に使える局面のまだ1000分の1も使われていない。逆に言えば、これから1000倍以上使われるようになる」

2016年当時の私はそう思いましたが、同時にこの革命はゆっくり進行し、2030年頃にならなければ機が熟さないとも考えました。なぜなら、ディープラーニングの技術はそれほど簡単ではなく、画像認識を組み込んだソフトウェアを作るのに専門的な知識が必要だからです。

第四次AIブームを巻き起こした生成AIはその点で対照的です。プログラミングやAIのしくみに関する知識がなくても簡単に扱えるからです。とりわけChatGPTは、私たちが友だちとLINEのやり取りをするかのように気楽に対話できます。

そういうユーザーフレンドリーなインタフェースを備えているために、たった2か月という史上最速のスピードで、世界のアクティブユーザーが1億人に達したのです。こうしたChatGPTの爆発的な普及などによって、AIが世の中に破壊的なインパクトを与えるタイミングは、何年も早まったと言えるでしょう。

図3-4　各産業革命の特徴

	工業革命		情報革命	
	第一次	第二次	第三次	第四次
リーディング産業	軽工業	重化学工業	情報通信産業	高度情報産業？
汎用目的技術（カギとなる技術）	蒸気機関	内燃機関、電気モータ	コンピュータ、インターネット	AI、IoT、ビッグデータ
エネルギー	石炭	石油	原子力	再生可能エネルギー？
ヘゲモニー国家（覇権国家）	イギリス	アメリカ（ドイツ）	アメリカ	アメリカ、中国、インド？
時期	1800年頃（1770～1830年）	1900年頃（1860～1914年）	2000年頃（1995年～）	2030年～？

第四次産業革命とはＡＩ革命のことである

ＡＩは当然、私たちの生活や教育にも影響を及ぼしますが、中でも生産活動に与えるインパクトは絶大です。そのようなインパクトを第四次産業革命といいます。「第四次産業革命＝ＡＩ革命」と考えていいでしょう。

大雑把にいえば、第一次産業革命は１８００年前後に発生しており、第二次産業革命は１９００年前後です。第三次産業革命は諸説ありますが、ここでは２０００年前後としておきましょう（図３－４）。そうすると、およそ１

00年間隔で起きていることになります。

第四次産業革命はもう始まっているという人もいますが、私はまだ機が熟していないと思っています。これだけ世の中でAIが騒がれているにもかかわらず、AIによって一国の生産性が向上した、もしくは経済成長率が上昇した、などという統計データは一切ないからです。

そのようなデータが出てくるようになるのは、2030年頃になるものと私は予想しています。その頃になれば、ほとんどのホワイトカラーが生成AIを使いこなすようになるとともに、生成AIが汎用AIへと進化を遂げているはずだからです。

また、無人店舗やレストランの配膳ロボットが広く普及し、無人タクシーや無人トラックも走り回るようになるでしょう。そして、経済的シンギュラリティが到来することになるのです。

それぞれの産業革命には鍵となる技術があり、それを「汎用目的技術」といいます。[*8] いろいろな用途に使える技術ということです。

第一次産業革命の汎用目的技術は蒸気機関、第二次は電気モーターと内燃機関（ガソリンエンジン)、第三次はコンピュータとインターネットです。私は「第三次産業革命＝ＩＴ革命」と見なしています。ただし、ＩＴ革命というより「ＩＣＴ革命」と言った方がより正確でしょう。ＩＣＴは「Information and Communication Technology」の略で、情報通信技術という意味です。

というのも、インターネットによって遠隔地にいながら通信できるようになったことが、この革命の核心だからです。それでも、よりなじみのあるＩＴ革命という言葉を使っていくことにしましょう。

第四次産業革命の汎用目的技術は、一般的にはＡＩとＩｏＴ、ビッグデータと言われています。これにブロックチェーンや３Ｄプリンターを加えてもいいかもしれません。まだこの革命は始まっていないため、これから何がどの程度の影響を及ぼすようになるのかはっきりとしていないのです。ただ私自身は、ＡＩが主軸になるだろうと確信しています。

何が汎用目的技術となり得るかは、重要な問題です。その理由は、汎用目的技術をいち早く実用化し普及させた国が、世界の覇権を握ってきた歴史があるからです。第一次産業革命の際には、蒸気機関をいち早く実用化し普及させたイギリスが「ヘゲモニー国家」（覇権国家）となりました。つまり、経済、政治、軍事の面でほかを圧倒するような国になったということです。

第二次産業革命期には、内燃機関を搭載した自動車（つまりガソリン車）の大量生産を最初に成功させたアメリカがヘゲモニー国家にのしあがっています。次いで大量生産に成功したのはドイツでした。第一次世界大戦と第二次世界大戦は、ヨーロッパで覇を唱えたドイツが、物量に勝るアメリカ（の加わった連合国）に二度にわたって叩きのめされた歴史的事件と見ることもできます。

それによって、戦後アメリカの覇権が確立したわけですが、第三次産業革命期にもGAFAMのような巨大IT企業を生み出したアメリカが覇権を維持しています。

そして第四次産業革命期には、中国版GAFAMとも称されるBATH（バイドゥ、アリババ、テンセント、ファーウェイ）のような巨大IT企業を生み出した中国が、新たな汎用目的技術であるAIをめぐってアメリカと競い合っています。

すでに「米中新冷戦」と呼ばれる両者の争いが始まっています。さらに、人口世界一となるインドが加わって、２０３０年代の世界ではこれらの国が三つ巴の覇権争いを繰り広げることになるでしょう。

国家の興亡だけでなく、ビジネスにとっても、汎用目的技術は命運を分ける重要な技術です。２０００年頃に起きた「ＩＴバブル」（アメリカではドットコムバブル）の折には、インターネット企業が盛んにもてはやされました。

しかし、２００1年にはバブルが崩壊して、インターネットへの過剰な期待は急速にしぼんでしまいます。それでもなお汎用目的技術であるインターネットを使ってどのような商品・サービスが展開できるのかを追求し続けた企業が、現在のGAFAMです。

投資を行う際にも、汎用目的技術は重要な手がかりとなります。たとえば、グーグル（アルファベット）の株価は、株式を公開した２００４年8月から２０２3年8月の19年間で50倍近くになっています。２００４年8月に２００万円分グーグルの株を買って、現在まで持っていたとしたら、1億円ほどに膨らんでいることになります。

次の汎用目的技術は何か？　そして、その汎用目的技術に関わる優れた商品・サービスを展開できる企業はどこか？　その見極めがうまくいけば、投資によって莫大な富を得ることができるというわけです。

工業革命と情報革命――経済法則は大きく変わった

ここまでで、4つの産業革命とその原動力である汎用目的技術について説明してきました。これらの産業革命の内、第一次と第二次をセットにして「工業革命」、第三次と第四次をセットにして「情報革命」とまとめることもできます。

工業革命と情報革命は異なる特徴を持っているため、工業化の時代に当てはまった経済法則が、今の情報化の時代にも当てはまるかどうかはわかりません。経済学は工業化の時代に発展した学問なので、基本的には「工業モデル」で論じています。そのため、これまでの経済法則が今後も通用するとは限らないのです。

たとえば前章で論じたように、工業化の時代には、技術的失業が生じたとしても、新しい産業などへの労働移動が起きて解消されてきました。その結果、全体としては賃金が上昇し、みんなが足並み揃えて豊かになれる社会が実現しました。

しかし、情報革命の時代には、雇用全体が減ったり、格差が開いたりする可能性があり、放っておけばみんなが豊かになるような方向に社会は進んでいかないでしょう。

では、なぜ工業化と情報化では経済法則が異なってくるのでしょうか？　ポイントは「物質と情報では性質が異なる」という点にあります。情報はデジタル化できれば、一瞬でコストをかけずにコピーできます。第1章でこのことを「限界費用ゼロ」として論じました。

限界費用がゼロであるため、少数のクリエイター・エンジニアが、デジタルコンテンツやソフトウェアを１つ作りさえすれば、あとはいくらでもただでコピーができます。したがって、世の中のデジタル化が進めば進むほど、デジタル財を生み出す仕事ばかりが儲かるようになります。こうして、富が一部の成功者に集中する社会になったわけです。それは、上位１％の富裕層が全世界の資産の40％近くも占めるような超格差社会です。

ちなみに、多くの研究者が、生成ＡＩはスキルの低い人の底上げをする一方で、スキルの高い人にはそこまで影響しないという実験結果を発表しています。[*9] それゆえ、生成ＡＩは格差を縮小するというコンセンサスが形成されつつあります。

ですが、そうした実験結果は、もはやスキルがお金にならず、スキルのある人が仕事を奪われる可能性のあることをも意味しています。それに、資本主義におけるゲームが、スキルの競い合いからディレクション力（アイディアを形にする力）の競い合いにチェンジするというのが私の見立てです。失業者が増える一方、ディレクション力のある人が、デジタル財を量産して大儲けするので、格差はさらに拡大していくと考えられるわけです。

第三次産業革命と第四次産業革命の違い

情報はデジタル化されることで、限界費用がゼロになるだけでなく、簡単に操作したり加工したり、遠隔でやり取りしたりすることが可能になります。情報革命第一弾の第三次産業革命では、まさにそういうことが起きました。

たとえば、手紙というのは物質ですが、その内容は情報です。手紙が電子メールやダイレクトメールにとって代わられると、「デジタル化」ということになります。同時に、手紙という物質的媒体はもはや必要なくなるので、「脱物質化」ということもできます。要するに「デジタル化＝脱物質化」ということです。

こうして、物質のくびきから解き放たれた情報は簡単にやり取りができるようになります。１日10通も手紙を書く人は昔でもあまりいなかったでしょうが、今では電子メールを１日10通以上書く人はざらにいます。手紙を封筒で送るには最低でも84円かかりますが、電子メールではほとんど無料です。

手紙の内容だけでなく、今やあらゆる情報がデジタル化されています。音楽はレコードやＣＤといった物質的な媒体はもはや必要なく、コンピュータ上のデータファイルとして買うことが多くなりました。

お金も本質的には情報であり、近年では紙幣やコインではなく、PASMOやSuicaなどのＩＣカードや、PayPayやd払いなどのＱＲコードで決済する人が増えて、デジタルデータとして扱われるようになっています。

デジタル化は、情報のやり取りだけでなく情報の加工をも容易にします。ホワイトカラーは情報を加工したり送り合ったりする職種全体を指しており、デジタル化によってその働き方は大きく変わりました。ホワイトカラーのみなさんが職場に行き、1日何時間もパソコンの画面を見て過ごしているのも、第三次産業革命によってデジタル化が生じたからです。

ただし、第三次産業革命の段階では、情報を加工している主体はあくまでも人間です。人間がコンピュータを使ってメールの文章を書いているのであって、コンピュータが自ら書いているわけではありませんでした。あるいは、人間の作曲家が作った音楽を、コンピュータを用いて配信しているのであって、コンピュータが自ら音楽を作っているわけではなかったのです。

それが、第四次産業革命＝ＡＩ革命の段階に至ると、文章を書くのも音楽を作るのも半ばコンピュータ任せになります。情報を加工する仕事もＡＩがかなりの部分を担うようになるわけで、これは一言で言えば「頭脳労働のＡＩ化」です。

加えて第四次産業革命では、人間の肉体労働をロボットで代替します。さらに、あらゆる物質的なモノをＡＩなどの技術によってコントロールできるようにする「スマート化」が進みます。それはたとえば、栽培中のトマトに適量の水を送れるようにAIが調整するようなことです。

スマート化された農業は「スマート農業」、自動車は「スマートカー」、家は「スマートホーム」、工場は「スマートファクトリー」、街は「スマートシティ」と呼ばれています。

第三次産業革命で起きたことは情報のデジタル化であるのに対して、第四次産業革命として起こりつつあることは「頭脳労働のＡＩ化」「肉体労働のロボット化」、そして「万物のスマート化」と盛りだくさんです。

2. 人工知能によって進む生産活動のスマート化

「デジタル化＝脱物質化」の対象となる産業とは？

第三次・第四次産業革命が各産業に与える影響について検討するために、さまざまな産業を次の3つに分けて考えることにしましょう。

・知識産業：金融業、教育産業、専門サービス業、コンテンツ産業、IT産業
・物的産業：農林水産業、製造業、建設業、物流業、飲食業、福祉
・ハイブリッドな産業（知識産業×物的産業）：小売業、不動産業、旅行、医療

「知識産業」は、広い意味での情報産業で、情報の加工や伝達を行います。ゆえに、すべてデジタル化＝脱物質化の対象になり得ます。また、そこに従事する労働者はほ

とんどがホワイトカラーです。

先ほど述べたように、お金もある意味で情報であり、金銭やそれらに関わる情報のやり取りをしているのが金融業だといえます。教育業でも、教師が生徒に教えるという情報の伝達をしています。

専門サービス業とは、いわゆる弁護士・税理士のような士業や、コンサルタント、リサーチなどの仕事を指します。こうした仕事でも情報の加工や伝達を行っています。また、出版、音楽、映画、テレビなどのコンテンツ産業は、新たな情報を生み出して伝達する活動にあたります。

そして、こういったあらゆる知識産業のデジタル化そのものを担っているのがＩＴ産業という位置づけです。

農林水産業や製造業、物流業などの物的産業では、リンゴや洗濯機のような物質的なモノを作ったり、運搬したりします。物的産業にはブルーカラーが多いですが、管理業務や営業、経営、研究開発などはホワイトカラーが担っています。

福祉でみなさんがイメージしやすいのは、介護の仕事でしょう。これも、人の身体のケアをする物的な仕事です。もちろん精神的なケアも重要ですが、メインは身体を使って行う仕事になります。

知識産業と物的産業の両方にまたがる「ハイブリッドな産業」では、情報も物質も両方扱います。たとえば、旅行業であればホテルや飛行機の予約は情報のやり取りですが、宿泊施設や交通手段を実際に提供する物的なサービスも行っています。ツアーコンダクターも物的な仕事です。

不動産業はどうでしょうか？　売っているものは住宅などの物件です。しかし、不動産に関する情報も重要であるため、情報に関わる産業でもあります。そのため、本書ではハイブリッドな産業に分類しています。

医療も、内科医は人の身体を診るわけですが、患者から症状を聞き出したりもします。そのため、情報のほうにも関わっているわけです。他方で、外科医が手術をするというのはまさに人の身体を相手にしている行為です。そのような物質的な側面も持ち合わせているため、医療は両方に関わるといえます。

知識産業だけでなく、ハイブリッドな産業の情報面でもすでにデジタル化が進んでおり、これは第三次産業革命の範疇です。たとえば、不動産に関する情報はネットで閲覧できますし、医療カルテの電子化も日本では導入が遅れていますが、ほかの先進国では普及しています。

一方、物的産業やハイブリッドな産業の物的な部分では、スマート化が進んでいます。以降では、農業、物流業、建設業、小売業におけるスマート化の現状について、具体的に見ていきましょう。

なお、近頃はデジタル技術による生産活動や組織、社会の変革を「デジタル・トランスフォーメーション」（ＤＸ）と呼ぶことが流行していますが、個人的には、ロボットアニメめいたこの言葉に違和感を覚えています。それゆえ、本書ではＩＴ化、ＡＩ化、スマート化といった言葉を使っていきたいと思います。

スマート農業

「スマート」という言葉とセットで語られることが、特に多いのが農業です。「スマート物流」や「スマート小売」とはあまり言いませんが、「スマート農業」という言薬はメディアなどで頻出しています。これは、たとえばドローンによって自動的に空から農薬を撒くといったことが挙げられます。

害虫が下方に飛んでいると気づけば、低空飛行して、害虫にめがけてピンポイントで殺虫剤をふりかけることも可能です。そのためには、虫を害虫であると見分けられる「目」がないといけません。画像認識というＡＩ技術が、まさにその目の役割を果たしているのです。

収穫ロボットについては先に取り上げましたが、「自動運転トラクター」も普及しつつあります。これは、農業機械（農機）メーカーとして有名なクボタ社などが提供しています。

究極的には完全無人にしたいわけですが、その一歩手前として、農地にいる人がタブレット端末を使って、トラクターをコントロールするところまでは実用化されています。農地に人がいなくとも、私たちが指示した通りに動く完全自動トラクターの普及はまだこれからですが、技術的にはおよそ可能になっています。

それから、可変施肥（かへんせひ）といって肥料の量を変える作業があります。なぜそれが大事かというと、1つの農地の中でも土地の肥え具合にばらつきがあるからです。肥えているところは、そんなに肥料を必要としていません。逆に貧しいところにはたくさんの肥料が必要です。人間がそういう調整をしながら肥料を撒くのは大変です。

スマート農業では、まずドローンが上空から写真を撮り、それを画像認識によって判断して「可変施肥マップ」を作ります。マップでは、土地が肥えているか貧しいかが、色分けして表示されています。そのデータを「可変施肥機」に読み込ませて、機械が肥料の量を調整しながら撒いていくわけです。

また、草刈りというのは農作業でもっともきつい作業です。しかも農業は高齢化が進んでおり、多くの高齢者が腰を痛めながら作業をしていました。ですが、今では除草ロボットにそうした大変な作業を任せることができます。たとえば和同産業という会社が販売している除草ロボット「KRONOS（クロノス）」を50～60万円前後で買うことができます。

これは掃除ロボットのルンバのような形をしていて、電池が切れかかると勝手に充電ステーションまで行ってくれます。自動運転トラクターは1000万円以上するものが多いですが、除草ロボットの方はそれに比べるとお手頃価格です。

このように、人が苦労して行っていた農作業をドローンや自動運転トラクター、除草ロボットなどの「スマートマシン」（賢い機械）が代わりに担ってくれるようになります。

政府は2019年の「内閣府ビジョナリー会議」で、こうした先端技術を導入する取り組みによって「2040年までに農林水産業の完全自動化を実現」することを目標として掲げています。普及まで考えると、実際にはもう少し時間がかかると予想されますが、「ほぼ」完全無人化ということであれば実現可能だと思います。

その時、農業はホワイトカラーのような仕事になっていくでしょう。どういう農作物を作ったら消費者が喜ぶか、どういうマーケティング・ブランディングをして農作物を売っていけばいいのかなどを考える仕事が、生身の人間が行う農業の中核となるわけです。

AIなどによって農業のスマート化が進み、一番クリエイティブなところに人間が専念できるようになるわけです。そういう方向での農業の発展に、魅力を感じる人は多いのではないでしょうか？　この点は、第1章で論じた、ＡＩ時代にヴィジョン、ビジネスモデル、ブランディングが重要になってくるという話の具体例になっています。

日本の農業の強みは元々、米や果物、野菜にしても少量で高価な農作物を作り出す点にあります。少量でも手間暇かけて、付加価値を高めて売るという戦略をとっているわけです。この手間暇の部分をスマート化できれば、日本の農業を発展させることもできるでしょう。

元々農業は第一次産業ですが、農作物を加工する段階は第二次産業で、消費者に販売する段階は第三次産業です。そのため、小売業のような第三次産業まですべてをひっくるめて農業として考えた方がよいというコンセプトがあります。これは、1×2×3、あるいは1＋2＋3でも同じ計算結果になりますが、合計で6になるため、「農業の第六次産業化」と呼ばれています。

この第六次産業化が農業での新しい試みとして取り入れられており、部分的には法人化も進んでいます。まだ昔ながらの農家が多いですが、その一方で年商何億円というスター農業起業家も生まれています。

そういうスターを生み出し得るジャンルは野菜や果物にもありますが、個人的にはワインや日本酒などお酒の分野が特に有望だと思っています。余談ですが私はオレンジワインが好きで、先日行ったレストランの店長さんに「このオレンジワイン、今まで味わったことのない美味しさです」と伝えたところ、「これはイタリアのワインの変態が作ったんですよ」と教えてくれました。

ここで言う「変態」とは、マニアックで変わった人という意味合いだと思うのですが、そうであるからこそ斬新な味のワインが作れるのでしょう。それで私は「変態こそ正義ですよね」と返事をしておきました。いずれにせよそのワインの生産者は、遠く離れた日本にその人柄を知る人がいるくらいのスターだったわけです。

完全無人化へ向かう物流

物流の中でも運送業は特に若いなり手が少なくて、慢性的な人不足です。運送会社の経営者の人たちと議論したことがあるのですが、彼らは「早く自動運転トラックを作って人手不足を解消してほしい」と悲痛な叫びを上げていました。そういう需要があるため、トラックの自動化は自家用車よりも早く進められるでしょう。

現在日本では、「無人隊列走行」という技術が実用化されつつあり、２０２１年に新東名高速道路で実現しました。これは、たとえば３台の車が連なっていて、最初の１台には運転手が乗っており、後ろに続く２台目と３台目は無人で、１台目を追尾していくというものです。

一般に商用化されれば、トラック輸送が３分の１の人手で済むようになるので、人手不足が劇的に解消される可能性があります。しかし、無人隊列走行をそのまま商用化するのは困難との考えも示されています。

続いて、自動運転トラックの単独走行が目指されるわけですが、２０２４年度には、新東名高速道路に自動運転車用レーンが設置されて、自動運転トラックの試験運行が始まる予定です。

ただ、日本は曲がりくねった細い道が多く、一般道での自動運転は高速道路に比べると桁違いに難しいです。実現の目処は立っておらず、恐らくは２０３０年以降になるでしょう。

物流では、運送のほかに倉庫での「搬送」や「ピッキング」にも人手がかかっていました。搬送はこの場合、倉庫内で商品を運ぶ作業で、ピッキングは商品棚から商品を取り出す作業です。特に、搬送は人が商品棚の間をかけずり回らなければならず、大変な労力を要していましたが、現在そのロボット化が進められています。

たとえば、アマゾンの倉庫には「ドライブ」というロボットが導入されています。商品棚が動くようになっており、このロボットが商品棚の下に入り込んで、商品棚ごとピッキングする人に向かって運んできてくれるしくみです。そのため、もはや人が商品棚に商品を取り行く必要がありません。

最新の「プロテウス」というロボットは、ドライブよりも進化しており、自律的に倉庫内を移動し、作業員にぶつからないように停止することも可能になっています。

搬送に比べて、ピッキング作業はロボット化が困難でした。アマゾンでは、小物、洋服、CD、本など、多種多様な商材を扱っています。材質や形状の異なるさまざまなものを手でつかむのは、人間にとっては簡単です。

ところが、商材の材質や形状に応じて力の入れ具合や角度を調整するのは、ロボットにとってかなり難しい作業です。そこでピッキングは人間が担い、商品棚を運ぶ作業をロボットが担う、という役割分担がなされているわけです。

この分担を見て「人とロボットが共存して万々歳」と論評する人もいますが、少しおめでたすぎるように思います。アマゾンが、ピッキングロボットのコンテストを開催していることからも、ピッキングも自動化する狙いのあることがわかります。

さらにアマゾンは、アメリカで２０２２年から、「スパロー」というピッキングロボットが一部の倉庫で試験的に導入しています。それでも扱えるのは、すべての商品の65％ほどです。まだ、人間のように商品を１００％ピッキングできるわけではありません。

それだけ人間の手の器用さをロボットが真似るのは難しいわけです。しかし、それすらも克服しようとしていて、２０３０年ぐらいに技術的には可能になると見込まれています。今は過度期なので、人間とロボットが共存しているように思えるだけです。

そうすると、倉庫もほぼ無人になる可能性が生じてきます。じつは日本政府は、2017年の「人工知能技術戦略会議」で、2030年までに物流全体の完全無人化を実現するという目標を掲げています。

私自身は、普及まで考えると2030年での完全無人化は実現困難だろうと思っています。ただ、無人化に必要な技術が、2030年頃に出揃うのではないかと予想しています。それは、ピッキングという一番難しいところまで含めてです。

農業も、じつは「パッキング」と呼ばれるパックに詰める作業が難しく、今は人間が担っています。トマトを収穫するロボットが、夜通し収穫してくれる。朝になると、収穫されたトマトが大きなかごいっぱいに詰め込まれている。そして、起きてきた人が、それをパックに詰める作業にとりかかるわけです。

ピッキングとパッキングは字面が似ており、それぞれ物流と農業の分野で、手の器用さが必要とされる作業です。ロボットには難しいため、今は人間が担っていますが、いずれも近い未来には克服されるでしょう。

建設も完全無人化へ向かっている

建設現場でのショベルカーやダンプカーといった「建機」の扱いには、作業員によるいわば匠の技が必要とされます。前の章で述べたように、建設業には若い人があまり入ってこないため、そういった建機を操作するスキルが次世代に継承されず、途絶えてしまいがちです。

そこで、ベテランによる匠の技をＡＩ化し、ＡＩによって建機をコントロールできるようにする。そして、人間の後継者が出てきたら、必要なスキルをＡＩから学んでもらう。そのようにして、人から直接人にではなく、人からまずＡＩに継承し、ＡＩを経由して後世へと技が継承されるようにするというわけです。

一方で、「無人建機」も普及しつつあります。農業における自動運転トラクターと似ており、人が乗って運転するのではなく、建設現場でタブレット端末を通していくつもの建機を制御するような段階までは実現が見えてています。

究極的には、人はもはや建設現場におらず、管理室でただモニターを見ているだけになるでしょう。それぞれの建機がどう動けばいいのかは、あらかじめプログラムされているので、人は事故や不具合が起きないか見ているだけでいいというわけです。
鹿島建設は、このような建設のあり方を「A^4CSEL（クワッドアクセル）」と呼んでいます。大成建設も似たようなプロジェクトを推進中です。小松製作所は自動建機を開発して販売する側ですが、「スマートコンストラクション」というヴィジョンを掲げており、建設におけるすべての工程を自動化しようと試みています。

政府は、建設業についても２０４０年までに建設工事の完全無人化という目標を掲げていますが、私は農業以上に難しいと思っています。特に自動化が難しいのは、とび職の人たちの仕事です。壁にタイルを貼る、窓枠に窓をはめ込む、鉄骨を組み立てるといった仕事は、やはり手先が器用でなければできません。

しかも足というのも重要で、建設現場は足場が不安定です。そこでバランスをうまく取りながら作業をするというのは、やはり一種の神業であり匠の技です。

加えて、コストの問題もあります。窓枠に窓をはめ込むだけといったように、１つのタスクを実施するロボットであれば、技術的には近いうちにでも実現可能かもしれません。しかし、それだと用途ごとにいくつものロボットを導入しなければならないため、莫大なお金がかかってしまいます。それなら、とび職の方にいろいろな作業をやってもらった方が、安上がりでしょう。

2040年頃には、建設現場で一通りの作業をこなせる汎用ロボットが実現しているかもしれません。しかし、普及には時間がかかるため、2055〜2060年くらいにならないと、建設作業をおおかた無人化することは困難だと思います。

AIカメラが小売を変える

小売の自動化というと、「アマゾンゴー」を思い起こす人が少なくないでしょう。アマゾンゴーは、2016年にアマゾンがシアトルで運用を始めたコンビニのような店舗です。ビデオカメラとセンサー、そしてディープラーニングを駆使して、レジなしの決済を実現しています。言わば「機械の目」が、誰がどの商品をバッグに入れたのかを監視・管理しているわけです。ただし、近年は閉鎖が相次いでいます。

アマゾンはほかに、「ジャスト・ウォーク・アウト」という無人決済システムを提供しており、すでに数十店舗で導入されています。こうした店舗では、あらかじめ掌(しょう)

紋（もん）などの生体情報やクレジットカード番号のような決済情報を登録しておけば、財布などを持たずに、手ぶらで買い物することができます。

こうした小売にＡＩを導入する取り組みは、「リテールＡＩ」と呼ばれています。日本は一般に、ＡＩの進歩が遅れた国と見なされていますが、リテールＡＩでは斬新な取り組みがなされています。

福岡を拠点としてディスカウントストアを経営しているトライアルホールディングスは、リテールＡＩの先進的な企業です。同社が運営する店舗では、「ＡＩカメラ」を大量に設置しています。

第１章で説明したように、ＡＩカメラは、カメラの映像をＡＩで解析するしくみで、「欠品管理」などに活用しています。商品棚の様子を映すＡＩカメラが商品の減り具合を絶えず解析しており、欠品になりそうな商品があればアラートを鳴らしてくれるわけです。

実際に補充を行うのは人間のスタッフですが、そのディスカウント店はかなり広いため、欠品管理のスタッフを配置するだけでも人件費がかかってしまいます。ＡＩカメラを導入することで、そのような人件費をカットできるわけです。

そのほか、デジタルサイネージという大きなディスプレイが店内に設置されていま す。そこに広告が映し出されるのですが、お客さんが来るとＡＩカメラがその人の年齢や性別を「20代の男性」などと解析し、そういう属性の人がいかにも買いそうな商品の広告を表示するというしくみも導入しています。

トライアルホールディングスが目指しているのは、小売業の完全自動化です。これはいわば、巨大な自動販売機を作るというヴィジョンです。現在は、駅の構内にある小さなコンビニなどが無人店舗として運用されていますが、大きなディスカウントストアでそれを実現するような試みというわけです。

それでは、あらゆる小売業が自動化の方向へ進むのでしょうか？　私はそうではなく二極化すると考えています。一方は自動化に進み、もう一方はホスピタリティを強化するといった具合です。

ディスカウントストアやスーパー、コンビニのような小売業はホスピタリティを売りにしているわけではないため、自動化の方向に進むはずです。しかし、伊勢丹のような百貨店はホスピタリティを売りにしているため、自動化への全面的な方向転換は行わないでしょう。

ホテルもホスピタリティを重視する高級ホテルと、セルフチェックイン機を導入するなど自動化を重視するビジネスホテルなどに二極化しています。小売、旅行、飲食といった消費者にサービスを提供するあらゆる業種で、この二極化が進むでしょう。

そういう業種でビジネスを手掛けている人は、どちらの戦略を採用するか検討するといいと思います。もちろん、ホスピタリティと自動化の両方を進めていくハイブリッドな戦略も考えられます。

3. メタバースとスマート社会

脱物質化の極限がメタバース

　ここまで見てきたように、第三次産業革命で知識産業の「デジタル化＝脱物質化」が進み、第四次産業革命では物的産業の「スマート化」が進むことになります。そして、社会全体もまた「デジタル化＝脱物質化」とスマート化が進行します。

　友だちと会わずにLINEで交流しているというのも脱物質的ですが、その極限が「メタバース」（コミュニケーションできる仮想空間）でしょう。私たちは社会にいて一体何をしているのかというと、いろいろなコミュニケーションを行っているわけです。

　人と話をする以外にも、何らかの取引もコミュニケーションの一種だといえます。そのようなコミュニケーションを行う場が、仮想空間に丸ごと入ってしまう。それがメタバースだとすると、脱物質化の極限はメタバースということになります。

今ちょうど第四次ＡＩブームが到来していますが、メタバースに関してはブームが昨年（２０２２年）起きかけて、２０２３年夏時点では退潮しています。メタバースにちなんで会社名をフェイスブックから改めたメタ社も、メタバース事業を放棄したというううわさが流れるほどです。

そのような状況ではあるものの、私はほぼ間違いなく人類はいずれメタバース内で１日のうちの長い時間を過ごすようになると思っています。けれども、それはまだまだ先の話でしょう。

自動化の極限がスマート社会

人類は脱物質化の方向に進んでいますが、この流れは情報革命に特有のものです。一方で、工業革命から情報革命に至るまで絶え間なく続いている自動化という流れがあります。その流れの先にあるものは、「スマート社会」です。

政府の「科学技術基本計画」では、「狩猟社会」（Society 1.0）、「農耕社会」（Society 2.0）、「工業社会」（Society 3.0）、「情報社会」（Society 4.0）に続く、５番目の社会を

「超スマート社会」（Society 5.0）と名付けています。現在は情報社会で、これから超スマート社会が到来するというわけです。

ただ、スマート社会もなしにいきなり超スマート社会が到来するというのも少々妙な話なので、ここでは単にスマート社会と呼ぶことにします。

このスマート社会というのは、ＡＩなどのデジタル技術によって、生産活動や私たちの暮らしを賢くコントロールする社会です。そのコントロールを、私は「ビットがアトムを制御する」もしくは「ビットがアトムを支配する」と表現しています。

ビットとは、デジタルの最小単位です。アトム（原子）は、かつて物質の最小単位と考えられていました。[*10] ビットがアトムを支配するというのは、デジタル技術によって物質をコントロールするということです。その具体例が、ＡＩによってコントロールされた自動車であるスマートカーや、ＡＩにコントロールされる住宅であるスマートホームなどです。

自動運転車だけでなく、現在普及しているような車間距離を自動でとって、事故を防いでくれる自動車もスマートカーです。スマートホームは、たとえば人が「暑いす」とつぶやくだけでエアコンのスイッチを入れたり、「カーテンを開けて」と指示するだけで勝手にカーテンを開けたりしてくれる住宅です。

スマート社会で中核的な役割を果たす「サイバー・フィジカル・システム」

物質的なモノをデジタル技術でコントロールするスマート社会で中核的な役割を果たすしくみが、「サイバー・フィジカル・システム」（CPS）です。これはよく、「サイバー空間とフィジカル空間の融合」として表現されます。

まず、「IoT」によって物理空間からたくさんのデータ（いわゆるビッグデータ）を収集します。IoTは「Internet of Things」（モノのインターネット）の略で、いろいろなモノにコンピュータのチップとセンサー、インターネットへの接続が備わっているしくみです。

図3－5のように、IoTによって収集されたデータをAIで解析し、その結果を使ってフィジカル空間（物理空間）をコントロールするしくみがサイバー・フィジカル・システムの1つのあり方です。そして、収集されたビッグデータとAIによる分

図3-5　サイバー・フィジカル・システム

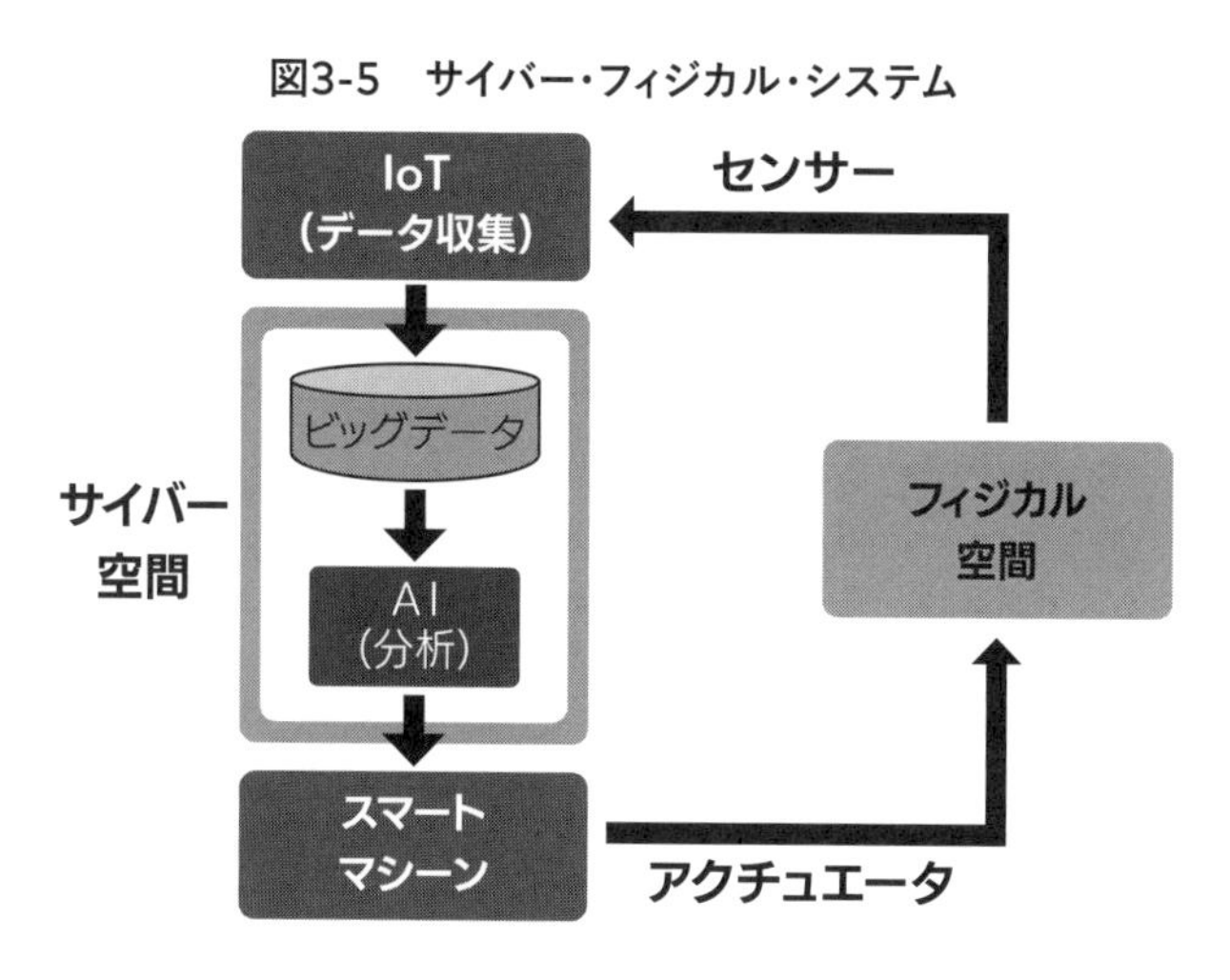

析が行われている場が、サイバー空間ということになります。

サイバー・フィジカル・システムはすでに製造業で導入されていますが、社会問題の解決にも使われるようになります。たとえば街が自動車を制御して、渋滞を自動的に解消することが未来の社会では可能になるでしょう。

そのためには、自動車がすべて自動運転であるばかりでなく、インターネットに繋がっている「コネクティッドカー」である必要があります。そうすると、自動運転車というのはセンサーの塊なので、そこから得られるデータをインターネット経由で収集しＡＩで解析すれば、道路の混雑状況を判断できます。そのうえで、ＡＩが混んでいる道を走っている自動車の何台かを空いている道に移動させます。

このようなサイバー・フィジカル・システムによって、渋滞という物理空間の問題を自動的に解決することができます。なおこの場合、自動運転車でコネクティッドカーであるような未来の自動車が、全体としてＩｏＴの役割を果たしています。また、空いている道に移動させるシステムと自動運転車が、スマートマシンということになります。

このようなしくみは、スマートシティの具体例でもあります。ほかにも、防犯カメラの映像が絶えずＡＩによって解析され、不審者がいるとすぐにＡＩが通報するようなしくみもスマートシティの例として挙げられます。

中国では「天網（てんもう）」というＡＩを用いた巨大監視システムがあります。このシステムが街角の映像を絶えず解析しており、防犯や捜査に役立てるだけでなく、国民の監視にも使われています。

日本でも街で事件が起きれば、ＡＩが立ちどころに前科のある人から容疑者を割り出したり、容疑者のいる場所を突き止めたりすることが期待されています。ただし、プライバシーの問題があるため、導入すべきかどうかの議論は十分になされるべきでしょう。

そのほか、街ごとに自動で天気を予測するしくみや、効率よく電気を消費できるしくみの「スマートグリッド」など、もろもろの賢い機能が備わっている街が、スマートシティです。

このようにして、物理的なさまざまなモノがスマート化されれば、社会全体が最適化され、便利になっていきます。一方で、人間が何もしなくていい社会として、ディストピア感を覚える人もいるかもしれません。

未来の世界はメタバースとスマート社会に分岐する

『メタバースと経済の未来』（文春新書、２０２２年）という私の本で論じたことですが、今後の社会の発展について２つの方向性が、選択肢として考えられます。１つは今ある現実社会から脱却して、メタバースの世界に飛び込んでいく方向性です。もう1つは、現実社会をＡＩなどによって便利で豊かにしていくスマート社会の方向性です。

当面はスマート社会の方向に進んでいくでしょうが、メタバースも２０３０年ごろには普及しているものと予想されます。人々がスマホを使うような手軽さで、メタバースの世界に入っていくような世の中になっていてもおかしくはありません。

これまで、「みんな現実社会で満足しているので、メタバースを欲している人なんてほとんどいない」というような、メタバースに懐疑的なネットの書き込みをいくつも目にしました。しかし、ある消費者調査では、20代男性の52％がメタバースの利用経験があります。20代女性では、44％ほどです。[*11]

30代、40代と年齢が上がるごとに利用率が減っているので、メタバースに興味がない人は単に時代についていけていないだけかもしれません。自分や周りの人が興味を持っていないからといって、世の中全体がそうであるとは限らないのです。

それに、言うまでもなくディズニーランドやＵＳＪは大人気です。そういうテーマパークも一種の仮想空間と見なすことができます。もしメガネを掛けるくらいの手軽さで、「夢の国」にいるかのような臨場感を味わえるとしたらどうでしょうか？　今はまだその手軽さと臨場感が足りないのです。

メタ社の「Meta Quest 2」というVRデバイスは現在4万7000円程度です。この値段であればお手頃でスマホより安いくらいですが、かなり重厚感があって、長時間装着すると疲れるという人が少なくありません。5万円程度のVRデバイスの大きさがメガネサイズになり、さらにVR体験が臨場感あふれるようになれば、メタバースは確実に普及するはずです。

では、そのときのAIの役割は何でしょう？　現在のメタバースでは、人がコントロールするアバターが活動しています。しかし、いずれはその中にAIがコントロールするアバターが交じるようになります。

ゲームでは今でも「ノン・プレイヤー・キャラクター」（NPC）といって、私たちプレイヤーが操作しないキャラクターが登場することがあります。格闘ゲームであれば、対戦以外でプレイヤーが格闘する相手のキャラクターです。

それと同様に、メタバースでも言わば「ノン・プレイヤー・アバター」（NPA）が、活動するようになるでしょう。このNPAをメタバース内のバーチャルヒューマンと位置づけることもできます。

NPAは、メタバース内の店舗で働く販売員や人と気軽に話をしてくれる友だちとしての役割を果たすようになります。「僕の親友はメタバース内のAIです」というような人たちのいる未来の社会もまた、見方によってはディストピアです。もちろん、孤独が解消されるかもしれないという利点もあります。

人類はいずれ、このようなメタバースの社会かスマート社会か、どちらの方向性に進むべきか問われるようになるでしょう。個々の人だけでなく、社会全体でも問われることになります。両方だと主張する人もいるでしょうが、その場合でも、どちらに重心を置くべきか、選択を迫られることになるでしょう。未来の世界は、メタバースとスマート社会に分岐していくのです。

第4章

人工知能は日本経済をどう変えるか？

1．国の繁栄と人工知能

ＡＩを制する者は世界を制する

ＡＩが経済にとってどれだけ重要かは、もはや私が論じるまでもないでしょう。しかし、10年前はその重要性にほとんどの人が気づいていませんでした。私は、２０１３年に早稲田大学のワークショップでＡＩに関する発表をして、「ＡＩを制する者は世界を制する」などと口走っていましたが、聴衆の先生や学生は、みなさんポカンとしていました。

その中で、１人だけ「君、面白いね」と話しかけてくださった先生がいて、２人で牛丼を食べながら、ＡＩと経済についてあれこれと話を交わしました。その人が後に日銀副総裁を務めることになる若田部昌澄氏です。

それから４年後の２０１７年に、ロシアのプーチン大統領が「ＡＩを制する者は世界を支配する」と言い出して、オレのパクリじゃねえかと思った。というのは冗談ですが、偶然にも同じようなことを口にしたのです。それならば、国を挙げてＡＩの研究開発を促進し、普及させても良さそうです。

実際にはそうではなく、ウクライナを侵略したわけですが、それはなぜでしょうか？　弟分と見なしていたウクライナがヨーロッパ側につくのが気に食わなかったとか、ウクライナがNATOに加盟すると喉元にナイフを突きつけられるような恐怖を覚えるという安全保障上の理由も考えられます。

しかし、侵略の根本にあるのはロシアの「膨張主義」です。つまり、できるかぎり大きな土地を領有したいという国家の傾向です。

ただし、いまのロシアだけでなく、歴史上多くの国が覇権を目指して、膨張主義をとっています。戦前の日本やフランス革命期のフランス、第一次・第二次世界大戦期のドイツ、現代の中国もそうです。

そういう意味で、膨張主義は近代国家の宿命と言えます。たいがい得られるものはほとんどなく、多くの人命が犠牲になって終わるにもかかわらず、愚かな戦争が何度も繰り返されました。

そこには、国家を発展させる方向性に関する根本的な錯誤があるのですが、政治家や国民はそれになかなか気づけないのです。その錯誤というのは、ＡＩのような科学技術の進歩よりも、領土の拡大が国家の繁栄にとって重要だというものです。

経済における縦軸と横軸

私は、一国の経済やその国の繁栄について考える際に、図４－１のように縦軸と横軸で分けて整理するとよいと思っています。[*12] 縦軸は、技術のような、時間軸に沿って進歩していくものです。横軸は、領土や交易のような、空間的に広がっていくものです。

縦軸には、技術以外にも「資本」が含まれます。資本というのは、経済学では工場やそこに置かれた機械のような生産設備を意味します。資本はたいてい時間が経つごとに増大していきます。

生産設備のような資本のことを「物的資本」ともいいますが、これは「人的資本」

図4-1　経済の縦軸と横軸

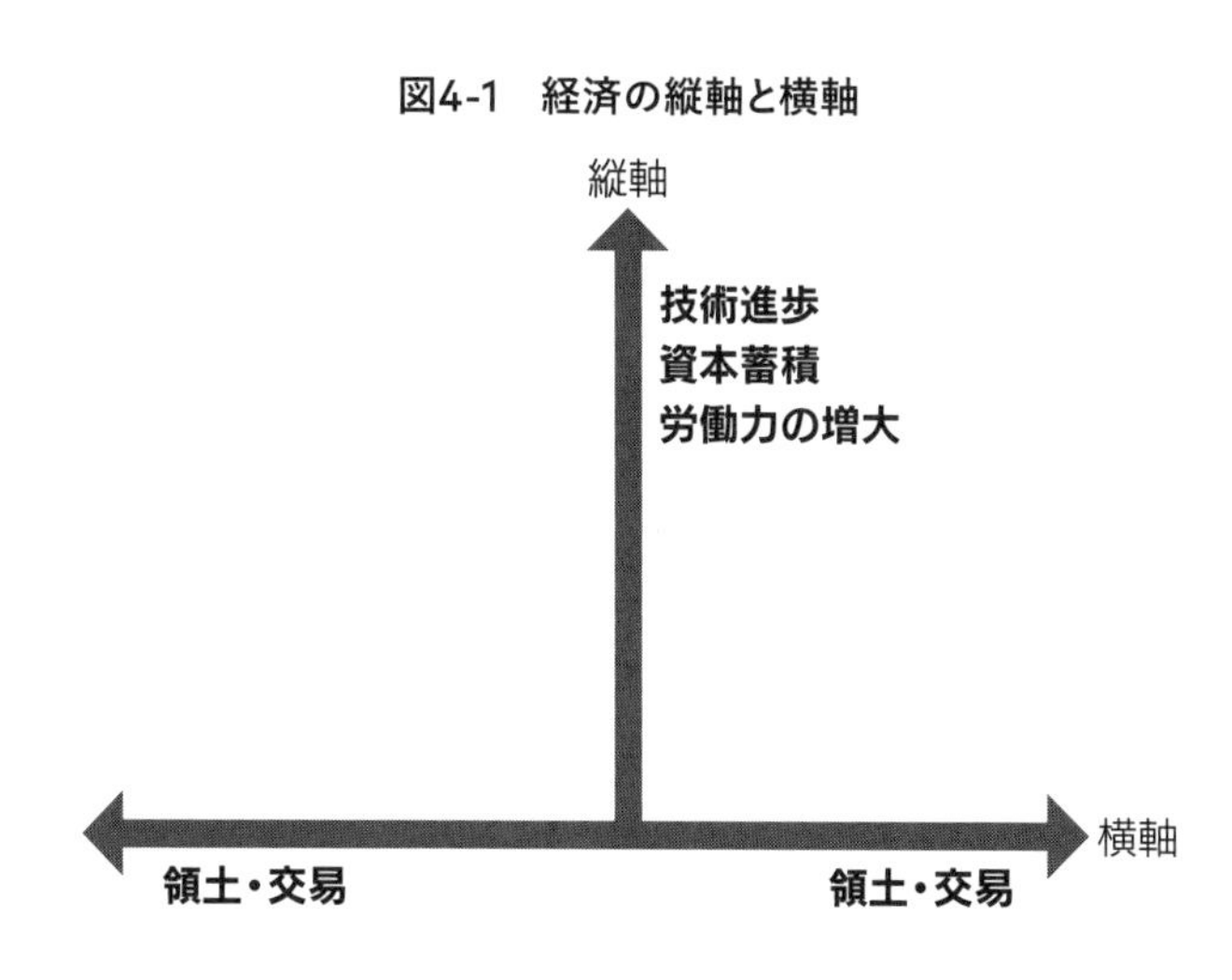

という概念が別個にあるからです。人的資本は、人が教育を受けることで高まっていく知識や技能のような能力のことです。労働力と近い意味ですが、時間を通じて積み上がっていく点が強調されています。資本は、物的資本と人的資本の両方を含む概念と考えることもできますが、物的資本のみを指す場合が多いです。

こうした「技術」「資本」「労働力」（人的資本）という３つの生産要素が進歩し増大することによって、ＧＤＰが増大（経済規模が拡大）していくことが経済成長です。一般的な経済学では、このように経済を縦軸で考えます。

ところが、経済学者ではない一般の人は、縦軸ではなく横軸で経済を考えてしまう場合が少なくありません。これは、経済とは結局奪い合いだという世界観です。日本が豊かなのは、どこか貧しい国を搾取・収奪しているからだというのが典型的な横軸の考えです。

領土を拡大したり、植民地を増やしたり、あるいはそこまで野蛮でなくても、交易を通じてほかの国にモノを売りつけて稼いだり、市場をめぐる他国との競争に打ち勝ったりすることで経済発展がなされるというわけです。

特に戦前は、横軸方向の経済発展が目指されていました。縦軸はそこまで意識されず、国家権力がおよそ横軸の方向で動いていたのです。経済成長によって国民を豊かにすることはそれほど重視されていませんでした。

そもそも戦前には、経済成長をテーマにしたマクロ経済学という学問分野が広まっていませんでした。そして、領土の拡大が国を繁栄させるとの思い込みがなされていたのです。だからこそ、戦争が絶えなかったわけです。

たとえば戦前、日本の軍部は広い領土と市場、資源を獲得するために、満州事変（1931年）を起こしました。[13]満州を支配下に収めたところで侵攻を終わらせることもできたはずですが、軍部の暴走は止まらず、1937年に日中戦争に、そして1941年には太平洋戦争に踏み切ります。[14]

アメリカから、中国などからの撤退を要求されていましたが、それを呑むことができず、日本はいちかばちかの賭けに出て勝ち目の乏しい戦争へと突入していったのです。[15]

案の定戦争に負けた結果、日本は台湾も樺太も失い、明治維新当初の領土にまで小さくなりました。しかし、そのような「小国日本」になってからの方が、経済的にはむしろ発展できたという事実があります。これは、横軸よりも縦軸が重要だったということを証拠立てています。

戦後に冷戦はあったにしろ、比較的多くの国が平和でいられただけでなく、高度経済成長を謳歌できたのは、縦軸の方向性を重視し始めたからです。今後も、日本は敗戦のトラウマがあり、戦争の悲惨さが共有されているので、当面は自ら戦争を仕掛けることはないでしょう。

しかし、ロシアは明確な敗戦を経験していないうえに、第二次大戦で2000万人もの人命を失ったにもかかわらず、戦争の悲惨さが十分に共有されていません。それで、未だに縦軸方向ではなく、横軸方向での発展が目指されているのです。

2. 日本はなぜＡＩ後進国に陥ったか？

日本はＡＩ後進国

縦軸の発展、つまり経済成長を目指すべきだという、ある意味当たり前の話をしてきましたが、いまの日本経済が順調かというと「技術」「資本」「労働力」のどれをとっても芳しくありません。

技術を進歩させるための「研究開発投資」、資本を充実させるための「設備投資」、労働力つまり人材を育てるための「人材投資」のいずれも活発ではないからです。技術では、特にＡＩ研究の劣勢が目立っています。

私が２０１３年くらいから繰り返し主張してきたのは、「次代の汎用目的技術はＡＩがもっとも有力であるから、日本企業はＡＩの研究開発に莫大の資金を投じないと世界から置いていかれる」ということです。

企業が無理であるならば、政府が資金を提供して積極的に推進すべきだと提案してきました。もちろん、あまりにも微力すぎて私などが提案しても大勢に影響ないことはわかっていますが、それにしてももどかしい気持ちを抑えることができません。

アメリカのGAFAMといった企業は、それぞれが国家レベルの経済規模を持っています。２０２２年のグーグルの売り上げは２８２８億ドルほど（約40兆円）で、ギリシャのＧＤＰを超えています。そのため、研究開発に多額の資金を投じることができるのです。

一方、日本の企業はあまり資金を投じることなく、政府もそれほど資金提供しなかったため、ＡＩ後進国になってしまいました。

図4-2　2020年のAI研究ランキングトップ100機関の国籍シェア

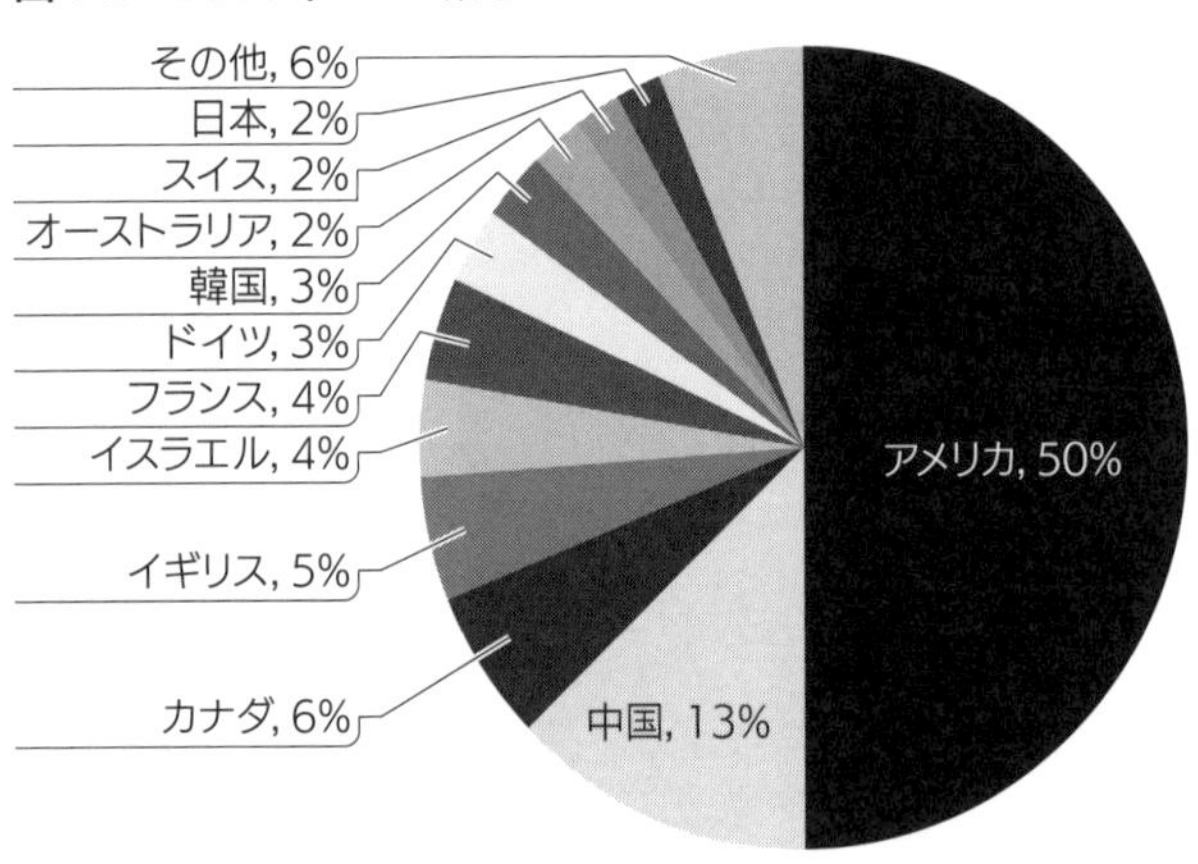

出所：AINOW「2020年のAI研究ランキング：アメリカは中国をリードし続けられるのか？【前編】（各種ランキング）」（2021年2月24日公開）

世界のＡＩ研究ランキングトップ１００機関に入っている組織は、理化学研究所と東京大学の２つだけです。[*16] 理化学研究所が48位で、東京大学が63位です。

図４－２のように、ランキングの１位はアメリカで、ＴＯＰ１００のうちの50%、つまり50の組織はアメリカの大学や研究所あるいはグーグルのような企業が占めています。２位が中国で13%（13組織）、日本は２組織なので全体の２%にすぎず11位になっています。日本はＧＤＰが世界３位ですが、経済規模に比べてＡＩ研究の水準はか

なり低いと言わざるを得ません。

主要な言語生成ＡＩを提供しているのは、OpenAIのほか、グーグル、メタなどいずれもアメリカの企業です。画像生成ＡＩも、Stable Diffusionを提供しているStability AI社、Midjourneyを提供しているMidjourney社、DALL-Eを提供しているOpenAIとアメリカの企業です。

日本では、サイバーエージェントが、言語生成ＡＩの一般公開をすでにリリース済みです。[*17]この企業は、インターネット広告事業を展開する一方で、AI Lab（ラボ）という立派な研究所を持っています。

そのAI Labが２０２３年5月に言語生成ＡＩを開発したことを発表したのですが、その「パラメータ数」は１３０億ということでした。このパラメータ数というのは、人間の脳のシナプス数に相当しています。これが多ければ多いほど、ニューラルネットワークが複雑であると言えます。１３０億というのは、GPT-3の１７５０億パラメータと比べても、１桁ほど下回っています。

ＡＩのベンチャー企業として有名な、プリファードネットワークス社という日本の企業があります。同社は、２０２４年に大規模言語モデルの商用化を目指すと言っています。[*18] 最初は１００億パラメータくらいから始めて、２０２４年には１０００億レベルに達するということですが、それでもGPT-3に及びません。

東京大学大学院の松尾豊氏の研究室は、２０２３年8月に開発した大規模言語モデルを無料公開して、商業利用以外では自由に使えるようにしました。このモデルも１００億パラメータです。

予算が限られた中で、できる限り優れたモデルを開発しようとして四苦八苦している日本のＡＩ研究者のみなさんに敬意を払いたいと思います。また、パラメータ数が言語生成ＡＩの性能を測るすべてでもありません。しかし、日本のＡＩ研究がアメリカに先を越されているというのは、まぎれもない事実です。

１９８０年代のAIプロジェクト「第五世代コンピュータ」

しかし日本は、昔から遅れた国だったわけではなく、ＡＩで世界のトップを走っていた時代もあったのです。

１９８０年代は、第二次ＡＩブームの時期で、日本は「第五世代コンピュータ」という巨大プロジェクトに取り組んでいました。当時の通産省（現在の経産省）がその旗振り役となり、国家ぐるみで多くの企業や大学の研究者が参画していました。「コンピュータ」という名前がついていますが、実際にはＡＩとそれを効率よく実行するためのコンピュータのプロジェクトです。

その少し前の１９７９年に、アメリカの社会学者エズラ・ヴォーゲルが書いた『ジャパン・アズ・ナンバーワン』という本が出版されていました。内容は日本企業の優れた手法を称賛するものです。そんな本が書かれるくらいに、日本に対する憧れや警戒が世界的に高まっていたのです。

そんな状況下で、日本が５４０億円もの予算を投じたＡＩの巨大プロジェクトを始めたので、世界中の国が、日本に太刀打ちできなくなるのではないかと戦々恐々としていました。

そのプロジェクトで中心になっていたのが、「Prolog」（プロローグ）というプログラミング言語で、「A→B、B→C、ゆえにA→C」というような「演繹（えんえき）推論」を得意としています。たとえば、それは「ソクラテスは人間だ、人間は死ぬ、ゆえにソクラテスは死ぬ」というような推論です。

私も学生時代にPrologをいじったことがありますが、「違う、そうじゃない」と違和感を抱きました。いかにこの方向で発展させていっても、人間の知性のようにはならないだろうと考えたのです。というのも、知性の多くは暗黙知のような直感的なものだからです。

演繹推論は人間の知性のほんの一部に過ぎないだけでなく、直感的な判断の繰り返しによって後天的に獲得されたものです。「猫は哺乳類だ、哺乳類は乳で子供を育てる、ゆえに猫は乳で子供を育てる」というような具体例をいくつか見ることによって、演繹推論がどういうものかを把握するわけです。

そうした人間の理解の過程を解明し、ＡＩが学習していく中で演繹推論が可能になるようにすべきでしょう。はじめから演繹推論が可能なＡＩを作っても、うまく作動するのはある意味当たり前であって、それ以上にＡＩが賢くなっていくような発展性はないものと考えられます。

実際、第五世代コンピュータは実用的な成果をほとんど上げることができずに終わりました。そのせいか、当時活躍していた若手から中堅どころのＡＩ研究者が今は重鎮となって力を持っているのですが、そうした人たちの中には２０１６年以降のＡＩブームを冷ややかに見ている人が少なくありません。

「オレたちがあれだけ頑張っても成果が挙げられなかったのだから、実用的なＡＩなんてそんな簡単にできるわけがない」と思ったのでしょう。ましてや汎用ＡＩなんて夢のまた夢で、「２０３０年ころに汎用ＡＩが実現できるだろう」という私の予想も、鼻で笑われるような始末でした。

ＡＩの第一人者と言われる松尾豊氏は、「ディープラーニングの重要性を訴えているのに、重鎮の先生が積極的に動いてくれず、ＡＩ業界が団結してお金をかけて研究しようという方向に進まなかった」と批判しています。昔の失敗のトラウマがあって、ＡＩの研究開発は進まなかったのです。

ただし、日本がＡＩ敗戦した理由は、そうした失敗のトラウマばかりではないでしょう。というのも、日本ではＡＩ以前にＩＴでも後れをとっており、GAFAM のよう

図4-3　質の高い論文数の国際比較(2019〜2021年)

順位	国名
1	中国
2	アメリカ
3	イギリス
4	ドイツ
5	オーストラリア
6	イタリア
7	カナダ
8	インド
9	フランス
10	スペイン
11	韓国
12	日本

引用数が極めて高い「トップ1%論文」のランキング
出所:科学技術・学術政策研究所

な巨大ＩＴ企業を生み出すことができなかったからです。

おまけに、科学技術の研究成果として発表される論文の数も減っています。日本は、とりわけ質の高い論文の数の国際比較で著しく順位を落としています。その順位は、２０００〜２００２年の平均で世界4位でしたが、２０１９〜２０２１年の平均では、スペインや韓国に抜かれて12位にまで下がっています（図４－３）。大勢として科学技術の衰退があり、ＡＩ敗戦もその一例に過ぎないと考えられるわけです。

デフレマインドに陥った日本

経済学者は一般的に供給側と需要側を分けて考えます。供給側がものを作って売る側、需要側がものを買って消費する側です。

日本では、成長を決定づける「技術」「資本」「労働力」の3要素がいずれも問題を抱えていると先ほど述べましたが、これらは供給側の問題です。一方の需要側の問題ですが、これは需要が不足していて失業率が高くなっているということです。

失われた30年の間に、日本経済は供給側にも需要側にも問題を抱えました。にもかかわらず、企業経営者やコンサルタント、それから経済学者の半分くらいは供給側の問題しか見ようとせず、経済学者の残り半分は需要側の問題しか見ようとしませんでした。したがって、両者の主張は嚙み合わず平行線を辿ったままです。これでは日本経済を建て直すための効果的な手を打つことができません。

ここで、供給側と需要側を橋渡しするような議論が必要となります。まず、両者のどちらに根本的な原因があるかが問われなければなりませんが、それは需要側でしょう。需要側の問題が供給側へと転化したのです。

１９８０年代後半のバブル期に、企業は銀行からお金を借りて設備投資ばかりでなく、不動産や株式の投資を盛んに行ってバブルを作り出しました。バブル崩壊後はそういった投資を縮小し、銀行にお金をせっせと返し始めました。そうすると、投資が減少するだけでなく、世の中にお金が出回っていかないので、人々はあまり消費をしなくなります。

消費が低迷すると、商品を買ってもらうために、商品の値段を下げるようになります。こうして１９９８年から持続的に物価が下がるようになり、デフレが起こりました。

投資や消費の低迷、そしてデフレはいずれも売上の低迷をもたらします。そうして、企業は余裕がなくなり、研究開発投資、設備投資、人材投資にお金を回さなくなりました。そうすると、供給側の３要素である技術、資本、労働力のいずれもが毀損(きそん)してしまいます。

投資を行うには「この技術は物になるかどうかわからないが賭けてみる」というような「アニマル・スピリッツ」（野性的な精神）が必要なのに、そういう思い切りのよさがなくなってしまうのです。

このようなアニマル・スピリッツの欠如を「デフレマインド」とも言います。つまり、デフレマインドというのは、経済がデフレ不況にあるために、企業経営者などがリスクを取ろうとしない姿勢のことです。

こうして平成の30年間、日本は思い切りがなく保守的で、経済活動が活発でない状況で過ごしていました。１９９５年はインターネット元年であり、そこからＩＴ革命が広がっていったのですが、経済停滞にあえぐ中で日本は思い切った投資を続けられませんでした。

２０００年頃に、アメリカでは「ドットコムバブル」と呼ばれ、日本では「ＩＴバブル」と呼ばれるインターネットのブームが起きました。日本ではそのブームが去った後に、「インターネットなんて大した技術ではなかった」というような失望がはびこりました。[*19]

「インターネットは、すばらしい技術かもしれないから、引き続き投資しておこう」というようなアニマル・スピリッツが十分ではなかったのです。逆に、十分なアニマル・スピリッツがあったアメリカでは、GAFAMのような巨大IT企業が育っていきました。

AIに関しても、デフレマインドが投資を躊躇させ、そこに第五世代コンピュータ失敗のトラウマが加わり、日本をAI後進国にしたのです。

膨らむデジタル赤字

どうせ勝てないので、AIの特に基礎的な研究はアメリカの企業や研究所に任せて、日本はその応用研究にだけ取り組んでいればいいという意見もありますが、それは得策ではないでしょう。というのも、国内に基礎的な技術を研究する組織がないと、応用する技術も育ちにくいからです。ただ、問題はそれだけではありません。

確かに、アメリカで作られた技術でも、速やかに導入すればそれだけ経済成長を促進することができます。ChatGPTを日本人が作らなくても、アメリカ人以上に日本人が活用すれば、より生産性が向上し、より多くのモノやサービスを生み出せるようになるのです。そうであれば、日本人が自らイノベーションを起こさなくてもいいということになります。

ところがその場合、「貿易・サービス収支」が悪化してしまいます。これは、貿易やサービスのやり取りで、外国からお金を受け取った分と外国に支払った分の差額を示しています。2022年の日本は、図4－4のように、貿易収支もサービス収支も赤字です。棒グラフが0より上に伸びているのは黒字を、下に伸びているのは赤字をそれぞれ示しています。この赤字が膨らんでいく可能性があるわけです。

たとえば、ChatGPTでGPT-4を使おうと思ったら、課金しなければなりません。月額20ドルなので、今だと2800円程のお金を支払うことになるのですが、そうすると「デジタル赤字」が膨らみます。

サービス赤字の中でも、IT関連で生じる赤字がデジタル赤字です。このデジタル赤字がどんどん膨らんでいて、2022年には4・7兆円にまで上っています。[*20] 日本はIT関連で、外国から得られるお金よりも、外国に支払っているお金のほうがかなり多いわけです。

自動車などと比べるとIT産業は規模が小さいように思われがちですが、トヨタの

図4-4　日本の貿易・サービス収支、第一次所得収支などの推移

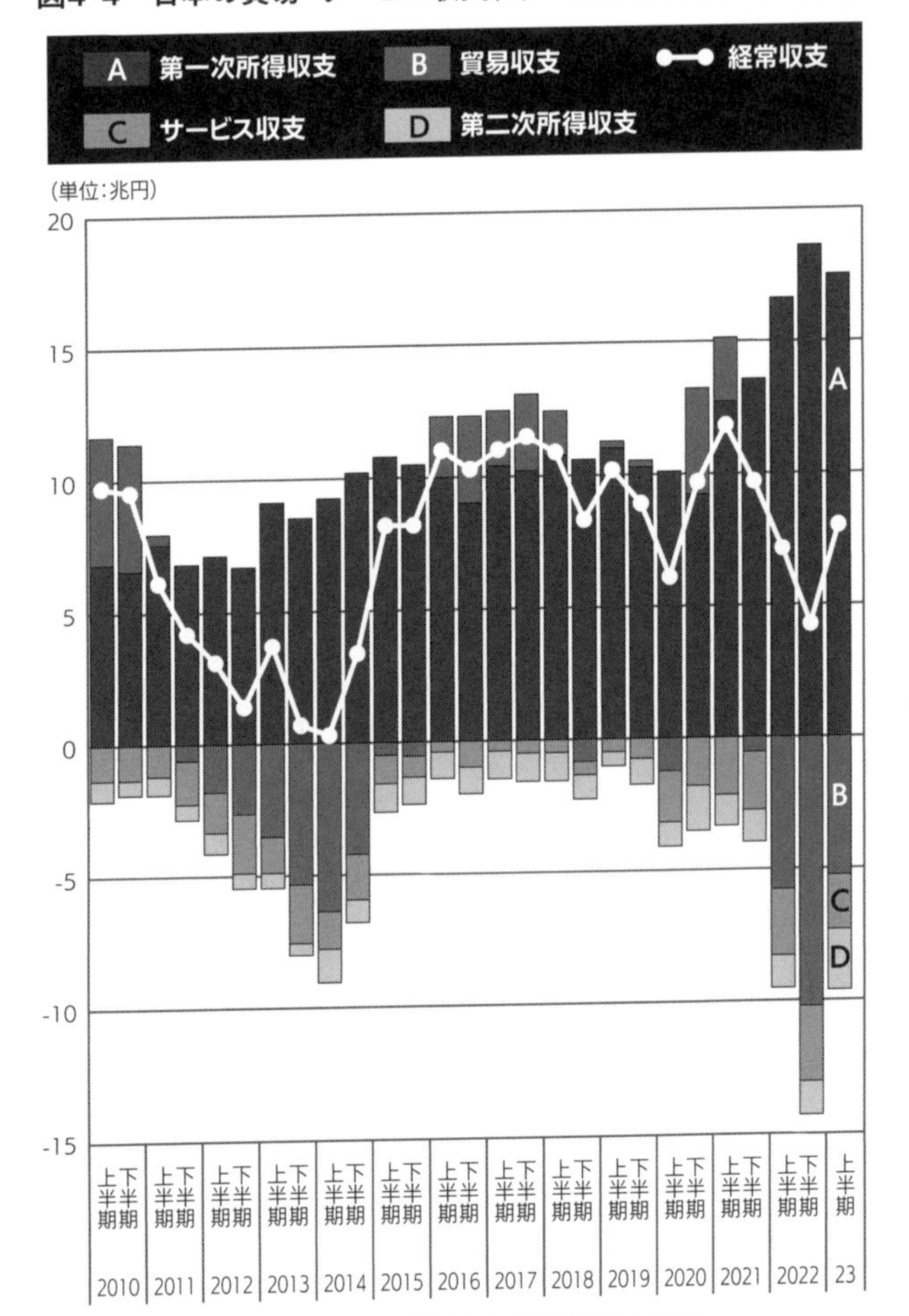

出所:財務省「令和5年上半期中 国際収支状況(速報)の概要」
(2023年8月8日)

２０２２年の純利益は2兆円強で、それを大きく上回っています。しかも、サービス赤字は５・２兆円ほどであって、その大部分がデジタル赤字なのです[*21][*22]。

そして、その原因の１つが、ChatGPTを作ったOpenAIのような会社に、お金を払い続けていることです。逆に日本の企業がＡＩを開発し、海外の人に有料で使ってもらえれば、デジタル赤字は解消されていくわけです。

２０２２年の貿易赤字は15兆円程で過去最大となっており、貿易・サービス収支全体で見ると、赤字額は20兆円という莫大な額にのぼります。つまり、日本は貿易やサービスでは稼げない国になっているのです（「稼ぐ」というのは一種の比喩であって、経済学的に正確な言い回しではないです）。ただし、これがただちに問題というわけではありません。

というのも、海外に投資して得られる利子や配当などの稼ぎを表す「第一次所得収支」が、35・3兆円の黒字になっており、これも過去最大だからです。日本はとっくにモノづくりで稼ぐ国である「工業立国」から、投資で稼ぐ国である「投資立国」に移り変わっているのです。日本をまるごと資本家の国と見なしてもいいでしょう。

ところが、ＡＩを含むＩＴが産業として世界的に拡大していくのは間違いありません。その結果、このままいくとデジタル赤字が海外投資で得られる稼ぎをどんどん食いつぶしていくようになるでしょう。

貿易サービス収支や第一次所得収支などを集計したものを、「経常収支」と言います。この経常収支の赤字が膨らむこと自体は、経済学的には問題ないという主張もあります。

しかし、それによって円安が進行して、輸入するエネルギー資源や食料の価格が上昇し、私たちの生活が苦しくなるかもしれません。したがって、デジタル赤字の拡大が深刻な問題をもたらす可能性は十分あるのです。

なお、こうしたデジタル赤字は経済の横軸の問題です。経済学者は縦軸を重視すると先ほど述べましたが、逆に言うと横軸の問題を見過ごしがちです。縦軸を重視する姿勢を崩す必要はありませんし、領土拡大などは論外ですが、日本が稼ぐ手段を持ち続けることを怠るべきではないでしょう。

3．日本をＡＩ先進国にするにはどうしたらよいか？

生成ＡＩの利用は盛んな日本

現在は、ChatGPTなどによってＡＩの世界が劇的に変わろうとしており、ある意味で日本にとってはチャンスが到来しています。

図４－５のように、ChatGPTへのアクセス数が多い国は、アメリカ、インド、日本の順番です。アンケート調査によってはChatGPTを使っている日本人は少ないというデータもありますが、「アクセス数」がデータとしてはもっとも客観的です。そこを見る限り、日本は世界３位です。

ちなみに中国は、中国独自の言語生成ＡＩを使っており、ChatGPTは使えません。たとえば、ChatGPTに「天安門事件とは？」と聞いたらもちろん答えてくれますが、

図4-5　Openai.comの国別トラフィックシェア（2022年11月～2023年4月）

順位	国	トラフィックシェア
1	米国	10.6%
2	インド	9.0%
3	日本	6.6%
4	インドネシア	3.6%
5	カナダ	3.2%
6	フランス	3.0%
7	スウェーデン	2.5%
8	ブラジル	2.4%
9	ドイツ	2.3%
10	中国	2.3%

出所：株式会社野村総合研究所（NRI）レポート
「日本のChatGPT利用動向（2023年4月時点）」

中国の言語生成ＡＩは答えてくれません。

中国では、インターネットでも「天安門事件」が検索できないようになっています。こうした障壁を「グレート・ファイアウォール」と言います。目に見えない万里の長城のような巨大なインターネットの障壁が中国全土を覆っていて、政府にとって不都合な情報にアクセスできないようになっているのです。ChatGPTを使わせないことも、グレート・ファイアウォールの一種とみなすことができます。

ChatGPTがもし中国で利用できるのであれば、中国がアクセス数でトップになる可能性があります。いずれにせよ日本は、アメリカ、インド、中国に比べても、人口が少ないので、１人あたりの平均アクセス数を考えたら主要国で1位になるでしょう。

少数のヘビーユーザーが過度にアクセスしている可能性もありますが、かなり利用されていることに間違いはありません。

日本で、ChatGPTのような言語生成ＡＩに夢中になる人が多いのはなぜでしょう？　日本では以前から『ドラえもん』のような、人と友だちであるかのようなフレンドリーロボットが漫画やアニメで描かれてきました。おそらく日本人は潜在的に、友だちのようなＡＩ、自分とコミュニケーションができるＡＩが欲しかったのではないでしょうか？

『ターミネーター』のような、ＡＩ・ロボットが人間に反旗をひるがえす映画を作るアメリカとは対照的です。実際、イーロン・マスク氏や、スティーブ・ジョブズ氏とともにアップルを創設したスティーブ・ウォズニアック氏は、2023年3月にＡＩ

の開発を一時停止すべきであると提言しました。それだけＡＩを脅威としてとらえている人がアメリカには多いのです。ヨーロッパにも、物理学者のスティーヴン・ホーキング氏や哲学者のニック・ボストロム氏のように、ＡＩ脅威論を唱えた著名人が何人もいます。それに対し日本では、ＡＩの開発を停止すべきだと言う人はあまりいません。日本ではＡＩ脅威論が少ないので、それゆえにチャンスだということです。

ChatGPTは、ビジネスパーソンに広く浸透しつつあるのに対して、画像生成ＡＩは日本のオタク文化と相性がよいと言えます。画像生成ＡＩは、同人誌的な二次創作に似たような面があります。人が作った画像をかき集めてきて、それを改良してまた新たな画像を作っているからです。

二次創作そのものであるかのような創作活動をしている人もいます。私のある知り合いは、アニメに登場する女性キャラクターの、たとえば浴衣を着ている姿などを画像生成ＡＩで作って大人気になっています。その画像を2万円で売ってくださいという人まで現れるほどです。

でも本人はあまり儲ける気はないそうです。これはまさに同人誌的な二次創作を、今度は画像生成ＡＩを使って楽しんでいるということになります。なお、二次創作については著作権的な問題があるのですが、黙認されている状況です。生成ＡＩがもたらす著作権に関する問題については、次章で議論します。

ＧＰＵなどを買う資金力が足りない

生成ＡＩの利用という面では、日本はむしろ進んでいる面があるという話をしました。それでは、研究の方はどうやったら推し進められるでしょうか？

先日、「OpenAI のＣＥＯであるサム・アルトマン氏が、「OpenAI の海外拠点を日本に作る」と言っていました。[*23] 日本の企業や大学が、OpenAI と提携して共同研究をさせてもらえることもあるでしょう。そうすればノウハウが直接手に入るので研究がより早く進み、先端的なレベルに到達しやすくなります。したがって、このような動きは歓迎すべきです。

ただし、日本はＡＩに関わるノウハウや人材が不足しており、海外から取り入れる必要がありますが、もっとも足りないのは資金力です。いまのChatGPTと同レベルの言語生成ＡＩを開発するには、数百億円が必要だと言われています。

特に、生成ＡＩを動かすには高性能な「ＧＰＵ」（グラフィック処理装置）がいくつも必要なので、それを購入するための資金がなくてはなりません。私たちが持っている普通のパソコンで情報処理に使われているのは、「ＣＰＵ」（中央処理装置）です。

ＧＰＵは、元々コンピュータのグラフィックを描くために使われていた専用の処理装置です。それがＡＩの処理にも適しているということで、今ではＡＩを動かすのに欠かせないハードウェアになっています。ほかにも、グーグルの開発したＴＰＵを始めとするＡＩ用の処理装置がありますが、今のところＧＰＵが広く利用されています。

それゆえ、ＧＰＵを開発している企業であるエヌビディア社の株価が劇的に上昇していて、10年前の１００倍以上になっています。そういうこともあって、最近日本では、GAFAMに代わって「MATANA（マタナ）」という言葉が使われ始めています。これは、マイクロソフト、アップル、テスラ、アルファベット（グーグル）、エヌビディア、アマゾンの頭文字をとっています。比較的時価総額の低いフェイスブック（メタ社）が抜けて、それより時価総額が高いテスラとエヌビディアが入っているのです。

日本の半導体産業の凋落

ＧＰＵの世界シェアは、アメリカのエヌビディア社とインテル社、アドバンスト・マイクロ・デバイセズ（ＡＭＤ）社の3社にほとんどが占められています。インテル社は、元々はＣＰＵの最大手で「インテル入ってる」というＣＭで有名な企業です。ＡＭＤ社もＧＰＵ以外にＣＰＵも作っていて、インテル社と競合しています。

残念ながら、ＣＰＵと同様にＧＰＵでも日本企業の世界シェアはゼロに近いです。おまけに、ＣＰＵやＧＰＵの材料となる半導体の世界シェアで、日本は最盛期の1988年には50％を超えていましたが、今では6％ほどに凋落しています。経済産業省の予測によると、２０３０年頃には図４－６のように、日本のシェアはほぼゼロに近くなります。

凋落の最初のきっかけは、１９８６年の「日米半導体協定」です。安い価格で半導

の現状（予測も含む）

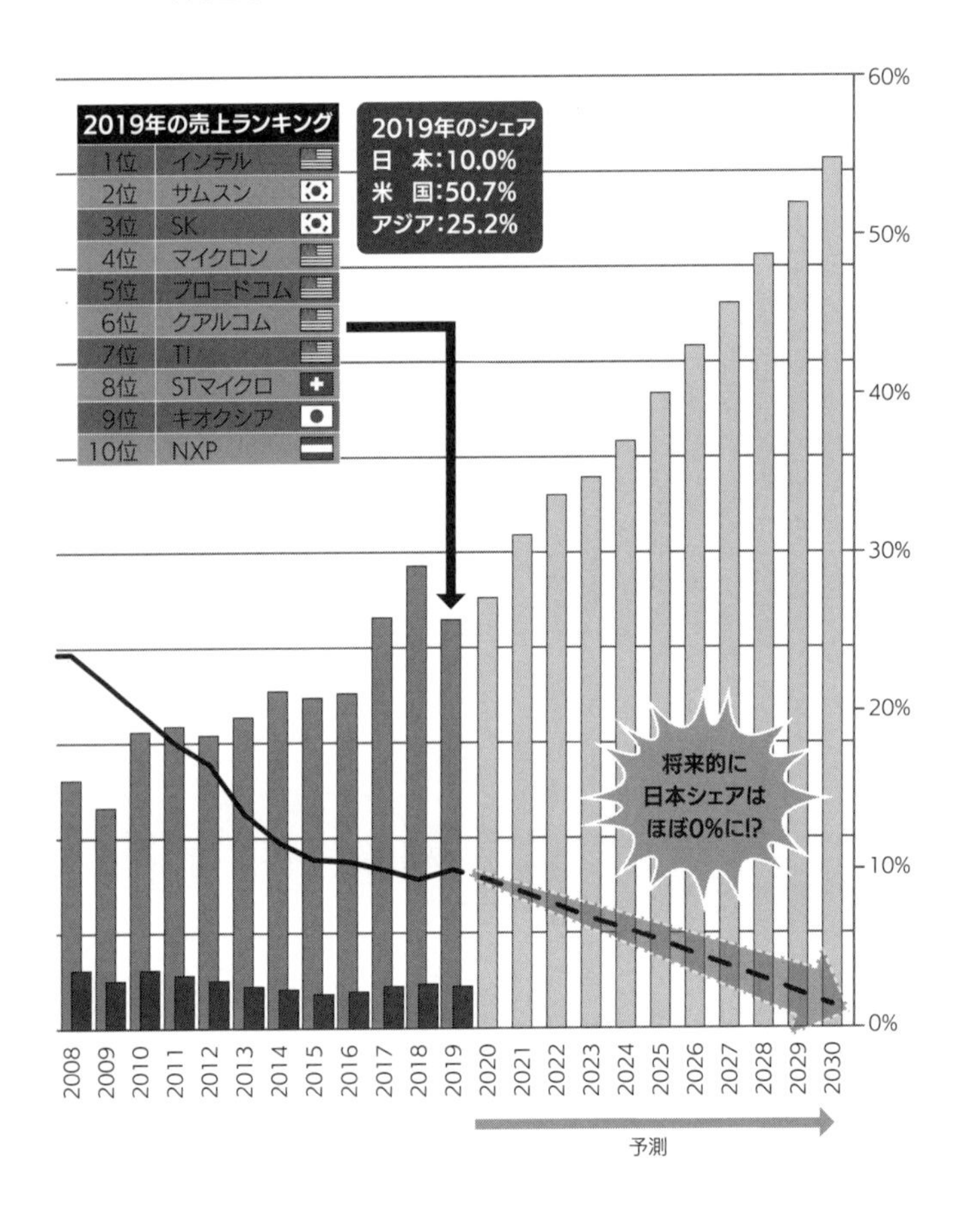

日本企業のシェア推移
2019年の売上ランキング
1位 インテル
2位 サムスン
3位 SK
4位 マイクロン
5位 ブロードコム
6位 クアルコム
7位 TI
8位 STマイクロ
9位 キオクシア
10位 NXP
2019年のシェア
日 本:10.0%
米 国:50.7%
アジア:25.2%
将来的に
日本シェアは
ほぼ0%に!?
60%
50%
40%
30%
20%
10%
0%
2008
2009
2010
2011
2012
2013
2014
2015
2016
2017
2018
2019
2020
2021
2022
2023
2024
2025
2026
2027
2028
2029
2030
予測

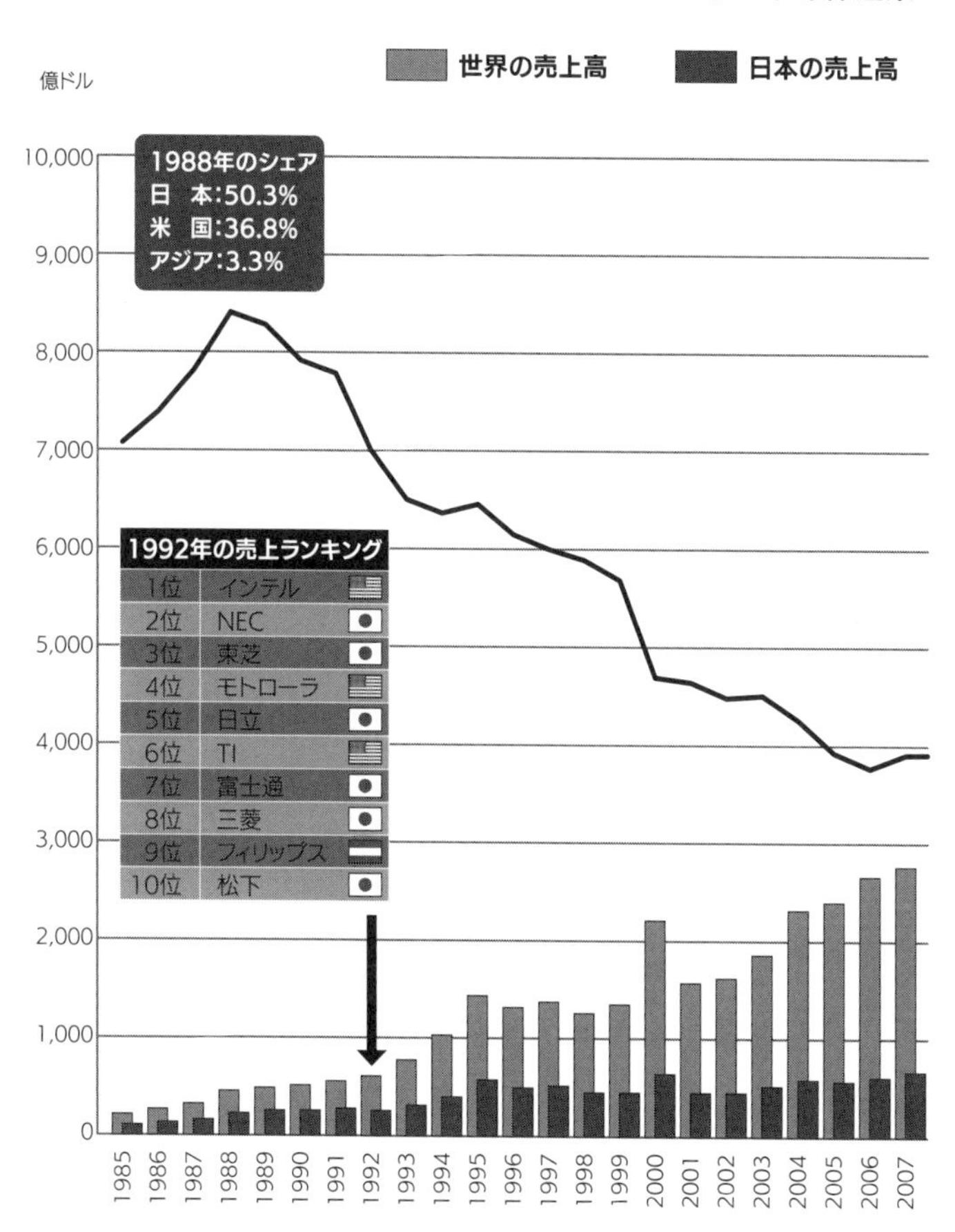

出所：経済産業省「第1回半導体・デジタル産業戦略検討会議」（2021年3月24日）

体を輸出しないことや外国製品を20％輸入することなどがアメリカから日本に要求されたのです。

そのうえ、パソコンの普及で品質が悪くても安価な半導体が大量に必要になったのですが、台湾や韓国の企業の方が日本よりもさらに安価な半導体を生産できるようになりました。

また、半導体製造のための工場を建てるといった設備投資には莫大な費用がかかり、日本はデフレ不況のただ中でそのような余裕はありませんでした。さらには、研究開発投資を減らしたために、技術革新が進みませんでした。ここでも、思い切った投資ができないというデフレマインドが足を引っ張っています。

それにしても凋落が劇的すぎると思われるでしょうが、これは半導体産業では「規模の経済」が働いているからです。すなわち、規模の大きな企業ほど、安いコストで商品を作ることができて有利という法則です。この法則が働いているために、規模が小さくなると競争において不利になり、ますます規模が小さくなるという悪循環が生じたのです。

私は、企業は市場経済の中で自由にビジネスを展開すべきであって、政府が関与すべきではないと基本的には考えています。政府が支えるべきなのは国民の暮らしであり、個々の企業の儲けではありません。

ただし、いくつか例外があって、「生活必需品や戦略物資に関わる産業」と「規模の経済が働く産業」については、政府が関与したほうがよい場合があります。生活必需品と戦略物資はかなり被っており、食料、石油や金属などの資源、兵器、そして半導体などです。こういったものを輸入にばかり頼り、非常時に輸入が途絶えたら、国民が飢えたり、国を守れなくなったりします。

そう考えていくと、戦前の日本が満州などに侵攻し、自給自足できるような広域経済圏を建設しようとした動機が、支配欲だけによるものではないことが理解できるでしょう。しかし、今の日本は専守防衛を国是としており、私もむろん専守防衛に徹するべきだと思っています。そうであれば、経済安全保障の観点から、国がそういった産業を支援して自給率を可能な限り高めていく必要があります。

特に半導体は、パソコンやスマホばかりでなく、今や自動車やあらゆる家電製品にも使われていて、これなしでは現代的な生活を送ることができません。それゆえ、半導体は「産業のコメ」とか「現代の石油」などと言われてきました。のみならず、兵器にも組み込まれているので、戦略物資でもあります。

さらに、前章で論じたように、あらゆる物理的なモノがＡＩやＩｏＴによってスマート化されていくとするならば、今とは比べものにならない量の半導体が必要となります。第四次産業革命で主力になるのはＡＩですが、それを土台で支えるのは半導体なのです。したがって、可能であるならば、日本は国を挙げて半導体産業をよみがえらせるべきでしょう。

２０２２年８月にトヨタやＮＴＴ、ソニーなどが共同出資して、「ラピダス」という半導体メーカーが設立され、日本の半導体産業における最後の希望のように見なされています。そして２０２３年４月に、政府はラピダスに対して２６００億円もの支援を決定しました。

ただし、ラピダスの成功は危ぶまれており、２ナノレベルという極小の半導体を量産する計画も無謀なものだと思われています。日本の半導体産業の復活は、困難を極めているのです。

政府は2000億円くらいの予算を出すべきだ

可能であればＧＰＵやそれに代わるＡＩ用処理装置も国産できるようになったほうがいいでしょう。プリファードネットワークス社は、独自のＡＩ用処理装置「MN-Core」を開発していますが、量産しているわけではありません。政府はせめて、優れた研究組織が生成ＡＩの研究開発に必要なＧＰＵを確保できるように資金を提供すべきでしょう。

経産省は、ＧＰＵを搭載したＡＩクラウドの設備に対し、68億円の補助金を出しています。このサービスは、さくらインターネット社が２０２４年1月から提供を予定しており、スタートアップ企業の活用が想定されています。こういった取り組みを拡充する必要があるのです。

私は、ＡＩの研究開発を劇的に進めるために、政府が年間２０００億円ほどの予算を組んでもいいのではないかと考えています。２０２３年度のＡＩ関連予算が１００

0億円ほどで、2024年度の概算要求が1600億円ほどなので、2000億円というのはそれほど無茶な額ではありません。

それでも今よりも多くの予算があれば、開発環境の整備に充てられるだけでなく、世界各国から優秀な研究者を引き抜くことができます。極端な話、世界中から根こそぎ優秀な研究者を引き抜くことができれば日本の圧勝です。もちろん、そこまで横暴なことをすべきだとは思いませんが、先端的な研究ができるレベルには持っていく必要があります。

国内の優れた研究者を登用するのはもちろんですが、日本だけにとらわれる必要はありません。中国がどうしてこれだけの科学技術大国にのし上がったのかを見ていくと、1つには世界中から研究者を引き抜いてきたからです。

これは、「千人計画」あるいは「万人計画」と呼ばれていて、当初はアメリカなどに留学した学生を中国に引き戻すための政策でした。しかしそのうちに、中国人でなくてもいいということになり、ほかの国からどんどん研究者の引き抜きを始めたのです。

じつは、最初にそのような政策を採用した国はシンガポールです。私は中国を「大きなシンガポール」と呼んでいます。シンガポールは国が小さいので、ベンチャー企業的な発想で優秀な人材を世界中から集めて成功し、瞬く間に日本の１人当たりGDPを追い抜きました。それを中国のような大国が真似て成功するのかという話なのですが、これが成功してしまったのです。

たとえば今、大学の世界ランキングで、北京にある清華大学は16位、北京大学は17位で、香港大学は31位です。日本のトップである東京大学は、そういった大学に抜かれて39位まで落ちています。

特に清華大学の研究レベルは、アメリカのマサチューセッツ工科大学（ＭＩＴ）を超えていると言われています。日本もある程度は中国を見習って、ほかの国と摩擦を起こさない程度に世界中からＡＩ人材を呼び込むべきだと思います。

日本から中国への人材流出は深刻な問題でしたが、これまでさして意識されることがなく、ほとんどなんの手も打たれませんでした。私の関わる経済学の分野でいうと、数年前に一橋大学の経済学の先生が香港工科大学に移ったことが話題になりました。年収が600万円から1500万円と2倍以上にアップしたうえ、マンションをあてがわれ、福利厚生も充実しているというのです。*24

ところが現在では、習近平体制に対する警戒心から、中国に行くことを避ける人が増えています。いつ財産を取られたり、横暴な弾圧をされたりするかわからないという怖さがあるからです。逆に、中国の金持ちが日本に逃げてきて、六本木辺りのタワーマンションの上層階に移り住むようなことすら起きています。

そこに日本の勝機があると考えられます。つまり、日本は安心安全で、政府に財産を取られることもなければ、政府を批判して捕まることはない、そういうことを売りにして、世界から優れた人材を獲得すべきでしょう。

優れた研究者に対して破格の報酬を出すというのは、これまでの日本ができなかったことです。学者なんてどうせ道楽でやっているのだから、給料なんて安くていいという価値観すらあります。ある意味で正しいのかもしれませんが、それではほかの国に勝てません。

政府の姿勢は、ようやく変わってきました。文部科学省は、2024年度からAI

分野の優れた若手研究者に年２０００万円を支給します。目的は人材流出を防ぐことです。ですがそれは最低ラインで、さらに世界中から人材を呼び込むべきでしょう。たとえば、年俸1億円で外国からトップクラスのＡＩ研究者を10人ほど引き抜いて、東京大学の付近に住んでもらいます。それでもたった10億円しかかかりません。彼ら・彼女らに週に1回だけ大学で講義を行い、残りの時間は研究に専念してもらいます。もちろん研究アシスタントには大学院生を雇います。

こうするだけで、日本の学生のレベルが上がるだけでなく、世界中の学生が優れたＡＩ研究者を目当てに日本に留学します。そのうえで、ＡＩ系ベンチャー企業の立ち上げ支援を強化すべきでしょう。

元々東京大学の周辺は「本郷バレー」と呼ばれていて、ＡＩ系ベンチャーが集まっています。それを拡充させて、シリコンバレーを超えるような街へと本郷を発展させてはどうでしょうか？

ここでみなさんは「シリコンバレーを超えるのは絶対無理だろう」と考えたかもしれません。でも、それこそがデフレマインドなのです。１９８０年代の日本人なら、

「やってやろうじゃん」と思ったはずです。

4. 高圧経済論と人工知能が日本経済を救う

高圧経済論とはなにか？

デフレマインドは、デフレ不況によってもたらされたので、それを払拭するためにまずはデフレ不況から脱却しなければなりません。最近は失業率が２％台と低くなり、インフレ率も３％台となり、もはやデフレ不況から脱却したのではないかと思われるかもしれません。

ただ、今のインフレは基本的には「コストプッシュインフレ」であり、原材料費やエネルギー価格の高騰が主な要因です。景気がよくなったことによって生じる「デマンドプルインフレ」ではありません。

それでも、大幅な需要不足によるデフレが生じていた平成の時代より経済状況はかなりよくなっています。だからといって、政府による景気対策はもはや必要ないかというとそうでないでしょう。

なにしろ、30年近くかけてデフレマインドをこじらせてきたので、それを払拭するにはインフレ好況を少なくとも10年は持続させる必要があります。そのためには、政府による景気対策が当面必要なのです。

近年、一部の経済学者の間で「高圧経済論」が注目されています。これは「不況が続くと、失業のような需要側の問題だけでなく、技術や人材の毀損といった供給側の問題が生じる。不況が終わってもそのような問題が持続するので、景気を良くするために政府が財政・金融政策を続ける必要がある」というような考えです。

今の日本は需要不足が著しいわけではありませんが、もう少し需要を活性化させるべきでしょう。消費者がどんどん買い物をし、景気がよすぎてタクシーがつかまらなくなるくらいの経済に持っていく必要があるというわけです。こうした状態を「高圧経済」といいます。そうなればデフレマインドが払拭され、企業経営者も積極的に投資を始めるだろうと期待できます。

私の身近なところでは、マインドの面ですでに望ましい傾向が現れてきています。8年前の2015年に私が駒澤大学に就職したときには、私のゼミから「将来起業したい」という学生が出てくるとは夢にも思いませんでした。

それが今や、30人ほどいる学部3年のゼミ生に「将来起業する可能性がある人」と尋ねると、10人近くが手を挙げます。まさにアニマル・スピリッツがよみがえってきているのです。

政府と日銀には、拙速に増税したり金利を引き上げたりして、この復活の兆しを潰さないようにしてほしいと切に願っています。逆に、減税したり社会保障費負担を減らしたり、現金を給付したりといった、拡張的な政策を実施して、高圧経済へと持っていくべきでしょう。

人工知能が世代間ウォーを解消する

高圧経済によってデフレマインドを払拭して、民間経済における研究開発投資、設備投資、人材投資を活発にすべきだという話をしました。これは需要側の要因を通じて供給側の要因である生産性を高めるような政策です。他方で、政府が研究開発にお金を出して、直接生産性を高めるような政策も必要です。

いずれにせよ、ＡＩなどの先端技術によって生産性を高めることが、今の日本には不可欠なのです。というのも、少子高齢化の進展によって「生産年齢人口」（15～64歳の人口、現役世代）の割合が長期的に減っていくからです。

みなさん実感している通りに、「国民負担率」が絶え間なく上昇しています。国民負担率というのは、「税負担＋社会保障負担」が国民所得に占める割合です。２０２２年度には47・5％に達し、江戸時代の「五公五民」になぞらえられたりしました。簡単に言えば、稼ぎの半分は国に持っていかれるということです。

国民負担率が上昇した原因のほとんどは、高齢化による社会保障負担の増大です。そのため、現役世代が高齢者をバッシングするような「世代間ウォー」がネットで繰り広げられています。有名な経済学者が「高齢者は集団切腹すべきだ」というような発言をして、世界的に炎上するような騒ぎまで起きています。

その背景には、世の中に出回っているお金は一定で、それを現役世代と高齢者が取り合っているという誤解があるように見受けられます。そうではなく、お金が足りないのであれば、紙幣を刷ればいいだけの話です。

もっと言えば、今あるお金の多くは、銀行におかれたコンピュータ上のデータしかないので、刷る必要すらありません。キーボードをカタカタと叩けば、１００万円といったお金を無から作り出すことができるのです。

お金は無限に作り出せますが、労働力や資源といった実物資源は有限です。そして、実物資源を使って作り出す財も有限です。生産力に比べてお金が多すぎれば、過度のインフレが発生してしまいます。結局のところ、財をどれだけ作れるかということが問題なのであって、お金が足りないという話ではないのです。

当然、現役世代が減少すれば作れる財も減少してしまいます。それを補うことができるもっとも有力な技術がＡＩなのです。図４－７の左のような現役世代が高齢者を必死に支えているようなイラストを見たことがある人も多いと思います。２０６０年には、１人の現役世代が１人の高齢者を支える「肩車社会」になると予想されていま

図4-7　AI・ロボットによって軽くなる、現役世代の負担

す。

しかし、ＡＩが普及すれば、現役世代とＡＩがともに高齢者を支えるという構図になります。そして、ＡＩが高度になればなるほど、現役世代の負担は軽くなるのです。したがって、高齢者をバッシングするなどという愚かなことをしている暇があったら、ＡＩの導入を推し進めた方が得策です。

ただし第2章で論じたように、ＡＩの導入が進めば失業が増大する可能性があります。大雑把に言えば、ＡＩの導入のスピードが現役世代の減少よりも速ければ失業が増大するし、遅ければ高齢者を支える現役世代の負担が増えます。

今は現役世代の減少の方が速いので、失業よりも負担の増大が問題になっているわけです。ところが、第四次産業革命が本格化する２０３０年頃からは、ＡＩ失業のほうがより深刻な問題になるでしょう。その時は、すべての国民の生活を漏れなく支えるようなセーフティーネットが必要になります。それについては、次章で議論します。

第5章

人工知能と人間は共生可能か？

1. 人工知能が引き起こす社会問題とは？

人工知能の開発停止は中国を有利にする

前章で述べたように、イーロン・マスク氏やスティーブ・ウォズニアック氏は、AI開発の一時的な停止を提案し、署名しています。一方、グーグルの元CEOのエリック・シュミット氏は、そのような提案は中国を有利にするだけなので、避けるべきだと主張しており、私もそう思っています。

現在、世界では「米中新冷戦」と言われるアメリカと中国の対立が起きています。そのうえ中国では、バイドゥのような自国企業の生成AIが使われており、ChatGPTは使用が禁止されています。したがって、欧米諸国や日本がAIに関する国際的な取り決めをしても、中国を巻き込むのは難しいでしょう。

すべての主要国がAIの研究をしばらく停止するというのならば、そういう取り決めは望ましいかもしれません。そうではなく、欧米諸国や日本だけがＡＩの進歩を遅らせるような規制を敷いて、中国がそのような規制を採用しないものとします。すると、中国ばかりが経済発展して、日本にとってはとりわけ脅威となるため、得策ではありません。

日本は安全保障の観点から言って、中国やロシア、北朝鮮といった日本にとって脅威になり得る国よりも、ＡＩの研究や普及のレベルが高くなければなりません。特に中国はＡＩの軍事利用を盛んに推進しています。

日本は専守防衛を掲げていますが、国を守るためにはＡＩの活用が必要不可欠です。にもかかわらず、日本のＡＩ研究者の多くが、ＡＩの軍事利用に反対の構えです。無謀な戦争だった太平洋戦争の経験から、科学技術の軍事利用に慎重にならざるを得ないのは理解できます。

しかし、それで多くの人命が失われたり、国が滅んだりして本当にいいのでしょうか？　ＡＩを含めあらゆる科学技術を動員して国防に努めなければ、たとえば北朝鮮から発射された核ミサイルを確実に撃ち落とすことはできないでしょう。

お国のために命を捧げることが何よりも尊いという右派の極端な国家主義と同様に、十分な軍備なしに外交のみで戦争を回避すべきだとする左派の極端な平和主義も、現実離れしたロマンティシズムだと思います。

とはいっても、軍事費のみを拡大させることは当然国民の負担につながります。科学技術力と経済力は軍事力に転化できます。理想論を言えば、防衛費を直接膨らませるのではなく、科学技術力や経済力を高めていくことで、防衛力を強化していくべきでしょう。

ＡＩは、直接防衛に必要な科学技術だというだけでなく、経済力を高めることで間接的に防衛力を高めるのに役立ちます。すなわち、ＡＩの活用でミサイルをより確実に撃ち落とせるというだけでなく、前章で論じたように、ＡＩによって経済成長を促進させることができます。そして、経済規模が拡大すれば、それだけ軍備を増強することができます。

安全保障上の理由により、我が国ではＡＩの進歩と普及を促進する以外に取る道はないのです。ただし、ほかの国も同様のスタンスを取ると考えられるので、軍拡が止まらないのと同様に、ＡＩの進歩をとどめることもできないでしょう。私たちは、ＡＩの進歩が止まらないことを前提に、ＡＩのもたらす問題を解決していくしかありません。

ディープフェイクが社会を混乱させる

ＡＩに関する喫緊の問題として注目されているのは、「ディープフェイク」と著作権の問題です。ディープフェイクは、ディープラーニングなどのＡＩ技術を使った偽の画像や音声、動画のことをいいます。

ローマ教皇フランシスコが高級なコートを着ているフェイク画像のように、ジョークのネタとして作られる分には、笑って済ますことができるかもしれません。しかし、実在する人物の顔にすげかえられた偽のポルノ動画は、人の名誉を毀損するものとして、すでに深刻な問題になっています。

あるいはポルノ以外でも、ディープフェイクは個人をおとしめるために使われるようになるでしょう。「ＡＩの民主化」と言えば聞こえはいいですが、それは誰でも簡単にディープフェイクを作れるような世の中になって、ＡＩ犯罪も民主化されるということを意味します。

そういう意味で、２０１９年に放映された「3年Ａ組―今から皆さんは、人質です」（日本テレビ）という菅田将暉氏主演の連続ドラマは、じつに先駆的でした。3年Ａ組の生徒の１人が、フェイク動画によっておとしめられ、自殺に追い込まれたことが物語の軸を成しているからです。

今後は、その手のいじめやいやがらせ、犯罪が横行する可能性があります。音声生成ＡＩを使って家族の声になりすまし、オレオレ詐欺を働くような犯罪も増えるでしょう。中国ではすでに、他人の顔と声を勝手に使って、本人そっくりに喋るＡＩアバターを生成し、ビデオチャット上でその人になりすまして、８４８３万円相当のお金をだまし取る事件が起きています。

さらに、今後大きな問題になりえるのは、政治目的のディープフェイクです。２０２２年に、ウクライナのゼレンスキー大統領が国民に降伏を呼びかけるような偽の動画が出回りました。このときは、すぐにフェイクであることがわかって大事には至りませんでした。

今でも、ＳＮＳには人間の作ったフェイクニュースがあふれかえっています。したがって、ＡＩを抜きにしても「嘘を嘘と見抜く」情報リテラシーを身につける必要があることに変わりありません。

ただ、人間が生み出すフェイクはほとんど言葉によるものでしたが、今の生成ＡＩを使えば、簡単に偽の画像や動画を作り出せてしまいます。その分信憑性（しんぴょうせい）があがって、騙される人が格段に増えることでしょう。

２０２３年5月には、ワシントンの国防総省近くで爆発があったかのようなフェイク画像がＸ（旧ツイッター）で拡散されて、アメリカのダウ平均株価が80ドル近くも下落する騒ぎにまで発展しました。

この世の何が本当で何が嘘かわかりにくいような「ポスト・トゥルースの時代」（真実が過去のもとになった時代）が本格的に到来しつつあるのです。そうした時代にあって、社会の混乱を防ぐためには、個々人が情報リテラシーを身につけるだけでなく、ディープフェイクを規制するような法律も必要でしょう。

すでにアメリカのカリフォルニア州やテキサス州では、選挙運動でディープフェイクを使うことを規制する法律があります。常に技術の進歩は早く、制度の構築は遅い傾向にあります。日本でも今のうちから、ディープフェイクに関わる法規制について議論しておくべきでしょう。

著作権の問題はそれほど人間と変わらない

著作権侵害も、人間がＡＩ抜きにすでに起こしている問題です。現在の日本では、小説や音楽などの作品に「依拠性」と「類似性」の両方が認められる場合に限り、著作権侵害と見なされます。

依拠性は他人の作品を参考にして作ることで、類似性は似ていることです。他人の作品を参考にしていても、似ていなければ著作権侵害にはなりません。逆に、他人の作品に似ていても参考にしていなければ、偶然と見なされて、これも著作権侵害にはなりません。

要するに、真似して作ってはいけないということです。単に参考にした場合や、参考にしたわけではないのに偶然似てしまった場合には、著作権侵害とはならないのです。

基本的には、ＡＩも人間と同じように考えて差し支えないでしょう。ＡＩはネット上にあるたくさんの画像や文章を読み込んで、それを元に新たな創作物を生成します。人間も、既存の作品をたくさん吸収しており、その記憶に基づいて新たな創作物を生み出しています。その点はあまり変わりありません。ただＡＩは、人間とは異なって完全な記憶力を持っています。

人間については、作品に触れたことが確かであれば、その内容に関する記憶がおぼろげでも、依拠性があると見なされることがほとんどです。それならば、ＡＩが読み込んだ作品のデータについては、完全に記憶（記録）されているので、より明白に依拠性があると見なされるべきでしょう。そうするとあとは、類似性があれば著作権侵害ということになります。これは、人間のケースとなんら変わりありません。

生成ＡＩ自体に、「この画像は既存の画像に類似しているので、著作権侵害に関わる注意が必要です」といった警告が表示されても良さそうです。今はそういう機能がありませんが、それでもグーグルの画像検索などを活用すれば、類似した画像が存在するかどうか確認することができます。したがって、私はＡＩが行う著作権侵害について特別な問題があるとは思っていません。

ところが、２０２３年2月「ゲッティ・イメージズ」という画像を蓄積するサービスを行っている企業が、Stable Diffusion の開発元である Stability AI 社を著作権侵害で訴えました。１２００万枚もの画像が、ＡＩの機械学習のために勝手に使われたというのです。

私の個人的な意見ですが、画像データなどを勝手にＡＩに読み込ませるという問題は、著作権侵害とは別の新たな問題としてとらえたほうがいいと思います。というのも、先ほど述べたように、既存の画像を読み込んで学習するという行為は人間も行っているからです。

生成ＡＩが人間のアイデンティティを脅かしているのは、明白な事実です。それにこのままでは、人間にしか作れないような斬新な作品を創作するインセンティブが失われて、ＡＩが生成するありふれた作品ばかりがこの世にあふれかえるようになるかもしれません。

生成ＡＩを禁じるのも1つの手だと思います。ただ、それが現実的ではないならば、どこかで折り合いを付けるようなルールとしくみが必要であるとも考えられます。

それは、人間の創作物に限っては「機械学習利用権」のような権利を新たに設定し、機械学習で利用する際に、著者に報酬を支払う簡単なしくみを設けるようなことです。カラオケで誰かが歌うたびに、その歌の作曲者や作詞家にお金が入ってくる「カラオケ印税」のしくみと似たようなものです。

すでに、デザイン系のソフトウェアを提供するアドビ社の生成ＡＩ「ファイアフライ」では、機械学習の素材となる画像の作成者に報酬が与えられることになっています。

そういうしくみは必要ですが、そのうえで、今後のクリエイターはＡＩを使いこなして創作することやＡＩにはできない斬新な表現を生み出していく方向に進む以外にはないものと私は思っています。人類は生成ＡＩという「パンドラの箱」を開いてしまった以上、それを前提に歩んでいくほかないというわけです。

「仕事」と「人間の誇り」が失われるのが最大の問題

先ほど著作権の関連で触れましたが、結局のところＡＩがもたらす最大の脅威は、仕事が奪われたり、人としての誇りが奪われたりすることではないでしょうか？　ＡＩ失業についてはすでに第2章で論じましたが、単に失業するだけでなく、人類全体がアイデンティティ・クライシスに陥る可能性もあります。

ChatGPTやStable Diffusionのような生成ＡＩは、すでに人間の誇りを傷つけるほどの力を手にしています。私も自分で「ＡＩの歴史」に関する雑誌記事を執筆したあと、試しにChatGPTにも書かせてみたら、私のよりもずっとわかりやすく的確にまとめられており、打ちひしがれてしょぼーんとなった経験があります。

ＡＩは将来的には神のようになる可能性すらあるため、ＡＩと競争すること自体が愚かだという意見もあります。『火の鳥 未来編』で、政治家がＡＩにお伺いを立てるような未来が描かれているという話も第1章で触れました。

私は今のところ、ＡＩが人類の叡智を圧倒的に凌駕するそのような未来を考えてはいません。ただ、ＡＩが紡ぎ出す言葉が、人間が口にする言葉と区別できないのであれば、人間も機械とさほど変わらないのではないか。そんな疑念が不安とともに湧いてくることがあります。

2. 私たちは本当に思考しているのか？

チューリングテスト――機械の知性を試すテスト

イギリスの数学者アラン・チューリングが考案した「チューリングテスト」は、機械に知性があるかどうかをチェックするためのテストです。現代風に言うと、ネット越しにＡＩとチャットして、それが人間なのかＡＩなのかわからなければ、人間同様の知性を持っていると見なすようなものです。

ChatGPTはもうチューリングテストに合格していると見ていいと思います。GPT-3ですら、アメリカの掲示板で人々の悩み相談に応じていて、1週間誰にもAIだと気づかれなかったということがありました。

AIだと発覚したきっかけは、返答が早すぎて疑問に思った人がそのことを掲示板に投稿し、調査が行われたからです。このように、AIはもはや人間の能力を凌駕しているがために、AIだと見破られるようなレベルにまで達しているのです。

私も学生のレポートを見ていて、文章に乱れがなく内容も的確でバランスが良いものは、ChatGPTに書かせたのではないかと疑ってしまいます。なお、ChatGPTに「それほどしっかりとしていない、普通の大学生らしい文章でお願いします」とプロンプトを与えれば、そのとおりに書いてくれるので、見破るのはより難しくなります。もっとも、チェックツールを使えばChatGPTを使って作ったレポートであるかどうかを識別できますが。

このようにAIは、本気を出すと人間の知性を凌駕してAIであることがバレてしまいます。もはや手加減しないとチューリングテストに合格できないわけですが、人間のレベルにまで能力を落としてあげることもまた可能なのです。

人間の証明は困難になりつつある

逆に、人間にとって、機械ではなく人間であると証明することが難しくなってきたとも言えます。つまり、ネット越しに人とチャットして自分がＡＩではなく人間であると示すことが果たしてできるかという話です。

このテストをここでは「人間テスト」と呼ぶことにしましょう。[*25] たとえば今後、ＡＩがＸ（旧ツイッター）に文章を投稿することも増えてくるでしょう。みんながＡＩかもしれないと疑っている中で、人間であることを示すような投稿ができるかというと、これはかなり難しいはずです。

すでに人が書いているような文章であれば、ＡＩはそれを真似ることができます。なので、これまでまったく書かれたことがないような文章を書かなければ、人間テストには合格できません。

試しに ChatGPT に「ツイッターで誰かがツイートしていそうな面白い文章を作っ

てください」と指示したら、

宇宙旅行が一般的になったら、〝宇宙の土産〟ってどんなものになるんだろう？

今日、雲がまるで巨大なコットンキャンディのようだった。食べたくなったけど、飛べないのが残念

もし時間を止める能力があったら、最初にやることは……昼寝。確実に昼寝

というような答えが返ってきました。この程度の気の利いたことなら、ＡＩはいくらでもつぶやけるということです。

文字数に制限があるので、人間らしい独自性が出しにくいということはあると思いますが、文字数が自由であったとしても、人間にしかできないような表現はなお困難でしょう。斬新な詩を書くとか、これまで人が表現しなかったような真新しい体験を

文章にするとか、新奇な学説を唱えるとかしなければ人間の証明はできません。

そう考えると、歴史上の優れたクリエイターは、結果として自らが人間であることを証明するような作品を作り上げてきたとも言えるでしょう。芸術がただの娯楽でないならば、何のためにあるのか？　その答えは、人間の証明のためにある。ＡＩ時代の今、そういうことも言えそうです。

逆に、芸術作品を作ったり新しい思想を展開したりしているわけではない普通の人が、人間テストをクリアするのは難しいでしょう。

今の言語生成ＡＩは、ある言葉の後ろに続く言葉として確率の高いものを繋げているに過ぎないと第1章で説明しました。要するに、今のＡＩは思考しているとは言い難いのです。だとすると、人間であることを証明できない多くの人たちは、じつは思考していない、あるいは思考していないはずのＡＩでも言える程度の思考しかしていないことになります。

ChatGPTが明らかにした人類にとっての「不都合な真実」とは、私たちは多くの場合、考えて話しているように見えるけれど、ＡＩでも言えるような機械的な話しかしていないということです。その点は、昼下がりのカフェで有閑マダムたちが交わすよもやま話でも、会社の偉い人がのたまっている説教めいた話でも変わりありません。

言葉の自動機械と『紋切型辞典』

社会学者の宮台真司氏は、前々から社会に流布するありきたりの言葉ばかりを機械的に口にしている人たちを「言葉の自動機械」と言って揶揄していました。

さらに宮台氏は、そうした人たちを「クズ」と呼び、みなさんクズにならないようにちゃんと生きましょうと繰り返し啓蒙しています。自動機械ではないような人間でありたいと私自身も願っていますが、そのように生きるのは難しいと感じています。

ここで思い出すのは、19世紀フランスの小説家ギュスターヴ・フローベールが遺作として残した『紋切型辞典』（フローベール著／小倉孝誠訳『紋切型辞典』岩波文庫、2000年）という辞典です。フローベールは『ボヴァリー夫人』という小説で有名ですが、この辞典はそこまで世に知られていません。

「紋切型」とは決まりきった言い回しのことで、『紋切型辞典』はそのような表現が集められた本です。特に、人がきどりたいときや知ったかぶりをしたいときに思わず口にしてしまう決まり文句が多く載せられています。今で言うところの意識高い系の人々を揶揄するための本なのです。

現代の日本人にも納得のいくようなものは少ないですが、「暑さ」という項目は次のように記されています。

暑さ［chaleur］　常に「耐えがたい」。

これは、当時のフランスのきどった人たちが、暑いときにわざわざ「耐えがたい暑さ」と口にすることが多かったということです。私も含めて、今でもそういう言い回しをする人は少なくないでしょう。

今ではほかに、「うだるような暑さ」とか「サウナのような蒸し暑さ」といった暑さに関する決まり文句があります。そういった表現ならＡＩでもできるので、まったくクリエイティブではありません。一流の文学者なら、そういう紋切型の表現で終わらせることはないでしょう。

夏目漱石は『吾輩は猫である』で暑さについてこう表現しています。

こう暑くては猫といえども遣り切れない。皮を脱いで、肉を脱いで骨だけで涼みたいものだと英吉利のシドニー・スミスとかいう人が苦しがったという話があるが、たとい骨だけにならなくとも好いから、責めてこの淡灰色の斑入の毛衣だけはちょっと洗い張りでもするか、もしくは当分の中質にでも入れたいような気がする。

（夏目漱石著『吾輩は猫である』集英社文庫〈上〉、1995年）

猫が全身を覆う毛皮を質に入れておきたいと思うくらい暑がっているというところに、独創的な表現が見られます。AIにこういう表現ができるかというと、なかなか難しいのではないでしょうか？

次に『紋切型辞典』の「仮説」という項目を見てみたいと思います。

仮説［hypothèse］　しばしば「危険」であり、常に「大胆」だ。

「大胆な仮説」というフレーズも、私たちはついつい使いがちです。私の専門である「経済学」については、こう書かれています。

経済学［économie politique］　血も涙もない学問。

今の日本でそういう言い方をする人はあまりいないでしょうが、「経済学者は人の神経を逆撫でする」というようなフレーズなら見たことがあります。じつに申し訳なく思います。

現代の日本で紋切型辞典を作るならば、こんな項目が考えられます。

・努力　必ず報われる
・試練「神は乗り越えられる試練しか与えない」

こういった言葉をついつい口にしてしまう人は、私も含めて少なくないでしょう。それ自体が悪いこととは思わないですが、それだけなら人でなくＡＩでも構わないということになってしまいます。

ＡＩはいくらでも、文脈にあった紋切型の言葉をつむぐことができるでしょう。「春は」と言われて「あけぼの」と応じられるように、「努力は」と言われたら「必ず報われる」と応じられるはずです。

なので、決まり文句ではなく、自分の体験や考えを自分独自の言葉で表現してこそ、人として生きていることのあかしになるように思われます。それに、決まり文句ばかり口にしていると、複雑な現実を単純化して認識しがちになり、大事なエッセンスを取りこぼすきらいがあります。

本書執筆時点は8月なので、太平洋戦争に関する話題をよく見聞きします。Ｘ（旧ツイッター）では「私たちの豊かな生活があるのは、先人たちが命がけで戦ってくれたおかげです、英霊に感謝」といった投稿をいくつも目にしました。これも紋切型の表現ですが、個人的には間違っているとまでは思わないです。

ただ、そう書いてしまうと太平洋戦争が引っ込みがつかなくなって思わず始めてしまった必敗の戦争であったという面や、日本軍の人命軽視と作戦の失敗によって、100万人以上の兵士が餓死した問題が看過されてしまいます。

こうした紋切型の罠から脱するには、どうすればいいでしょうか？　1つには、自分は紋切型の表現をしがちだと意識することです。意識することで、より深く考え表現を工夫することができるようになります。宮台氏が人を「クズ」呼ばわりするのもただの悪口ではなく、言葉の自動機械に陥らないように意識させるための方便として理解できます。

ただ、ＡＩが言うような凡庸なことしか言えない人がいたとしても、その人の人格を否定すべきではないと私は思います。言葉の自動機械のように思えるような人でも、機械とは異なり、喜びや悲しみなどの感情を抱く生命として生きているはずです。凡庸だとかクリエイティブだとかにかかわらず、すべての人間の生を肯定することが、ＡＩ時代になによりも大切だと考えられます。

3．人間の創造性と人工知能

人間の人工知能に対する優位性

生の肯定については、またあとで論じることにして、ここではＡＩを上回るような創造が今でも人間に可能なのかどうかについて考えてみようと思います。第1章で、今のＡＩにはなくて人間にあるのは意志、体験、価値判断の3つであると述べました。この点について改めて議論しましょう。

ＡＩに意志はないと言ったものの、より正確に言うと、ＡＩにも意志の萌芽のようなものが存在しています。アルファ碁という囲碁のＡＩを世に送り出したDeepMind社は、その前に「ＤＱＮ」というゲームをするＡＩを開発しています。

ＤＱＮはゲームのルールを教えられることなく、自分で得点を得る方法を習得します。たとえば「ブロック崩し」というゲームであれば、最初ＤＱＮはバーを左右にランダムに動かすことしかできません。ところが、偶然バーがボールに当たってブロックが崩れて点が入ると、バーをボールに当てればいいということを学習して、積極的に当てようとします。

これをもって「バーをボールに当てる意志が芽生えた」と言ってもいいかと思います。ただし、ゲームという言わば「箱庭」のような環境の中で、可能になったに過ぎません。今のＡＩは現実世界を生きているわけではないので、現実的な意志は持ち得ないのです。

このゲームでは、ブロックが崩れると点が入るという単純な設定がなされていますが、人間は世の中のありとあらゆるものに、快・不快を感じる生き物です。そうした世界内存在である人間だからこそ、「紅葉が見たいので、京都に行こう」などという意志が芽生えるわけです。逆に言えば、ＡＩは新しいビジネスを展開するとか、新しい商品を世に送り出すといった意志を伴ったクリエイティヴィティを発揮できません。

今のＡＩは言わば「ゲーム内存在」であり、この世界を生きているわけではないので、現実的な意志を持ちえないのです。そして、これはＡＩがこの世界を体験していないという話につながっていきます。

第1章で論じたように、言語生成ＡＩの場合は言葉の世界だけで閉じていて、言葉の意味すら理解しているとは言い難い状況です。ただ、これからはＡＩの頭脳の中で、言語と画像や音声が結びつくことで、ある程度言葉の意味を理解できるようになるでしょう。しかし、そうした画像や音声がネット上から収集したものである限り、「ＡＩが体験している」とはまだ言えません。

次に、ＩｏＴなどを通じてセンサーから外界の情報を直接受け取り、それを処理して言葉を発するＡＩが実現する段階が考えられます。ＡＩが街角にあるビデオカメラの映像を絶えず分析している状況を想像してください。

ＡＩがたとえば渋谷の街で、酔っ払って地べたに座り込んだ学生やスクランブル交差点を楽しげに横断する外国人を見出したりするわけです。これはＡＩが自ら目にしたものであり、ネットから取ってきた画像ではありません。渋谷の街角に立って人間が観察を行う経験に近いと言えるでしょう。これを一種の体験ととらえることもできなくはないです。

ただ、このようなＡＩは触覚や味覚のような感覚を持たず、痛みや美味しさを感じるわけではありません。いちゃつくカップルを目にして、いらつくこともないでしょう。そのため、人のように生きているとは言えないでしょう。

人間は、無数のセンサーを持っています。目は視覚、耳は聴覚、鼻は嗅覚、舌は味覚のそれぞれセンサーです。そのほか、触覚センサーが全身の皮膚に張り巡らされています。そして、これらのセンサーから得られた情報や脳内の状態に応じて、快・不快のような感覚や、喜怒哀楽のようなさまざまな感情が湧き上がってきます。

しかも、先ほど述べたように、人間は森羅万象のあらゆるものに対して美しいとか汚いとか、崇高だとか矮小だとか、何らかの感慨を抱きます。路傍の小さな石にすら、子どもの頃の石集めを思い出して、懐かしさを覚えるというようなことがあるのです。

そういう多様な感性を生み出す脳を含む身体こそが、ＡＩにはない人間ならではの創造性の源泉であると言えます。今のＡＩは人間の脳をコピーしたものではなく、ロボットは人間の身体とまったく異なっています。それゆえ、人間にとって望ましいことを発見する能力において、人間は基本的にＡＩ（ロボット）に対して優位に立っているはずです。

創造とは結局、さまざまな要素の組み合わせの中から望ましいものを選択する行為にほかなりません。素晴らしいメロディーが突然ひらめいたといっても、無意識の中で無数の音の組み合わせが試されて、その中で最上の組み合わせが意識にのぼってきたにすぎません。天才というのは、そうした無意識の働きが活発な人のことをいうのです。

ほかに意識下で音の組み合わせを試行錯誤したり、ピアノなどを使って実地で試行錯誤したりするような作曲の営みがあり得ます。いずれであっても、数え切れない要素の組み合わせの中から望ましいものを選択する行為が不可欠です。

その際に、人間は己の身体が持つ感性に問い合わせて選択することができます。対するＡＩは、身体を持たないのでそのような選択ができません。ＡＩは過去の優れた音楽のデータを参照するしかないのです。

言い換えれば、価値判断のオリジンは人間にあるということです。それゆえに、作曲ＡＩは既存のメロディーのバリエーションしか生み出すことができません。人間のみがバリエーションの元になるオリジナルを創造できるのです。

図５－１のように、クリエイターが作品を創作して世に公開することによって、人類の持つアーカイブは増大していきます。その中には、私のような素人が作る曲もあれば、人類の叡智と言えるような名曲もあるでしょう。

バッハはバッハっぽい曲を最初に作ったという意味で革新的であったし、さらには「Ｇ線上のアリア」のように、ほかの曲とは替え難いような唯一無二の名曲も作りました。そういった作品の集合がここでいう人類の叡智です。

ＡＩは、このアーカイブからデータとして音楽を読み込んで、新たな音楽を生成してアーカイブを増やすだけです。私のような素人の作曲と位置づけは変わりません。

図5-1　人類の持つアーカイブの増大

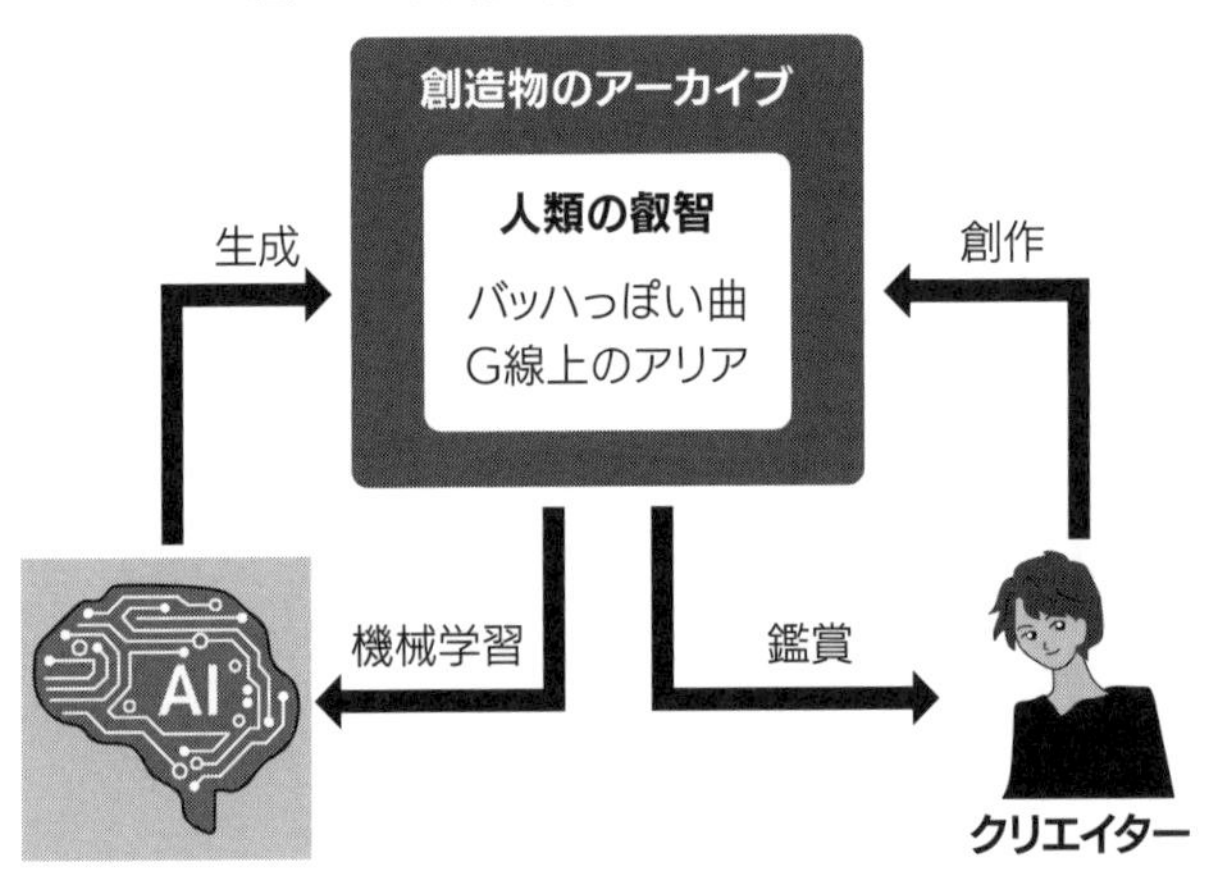

偶然にＡＩが人類の叡智に匹敵するような革新性を備えた曲を生成することもゼロではないですが、基本的には不可能でしょう。

あらゆる芸術は取り尽くされる

それでは人間はいつでも、ＡＩに負けないような革新的な創造能力を発揮できるかというとそうではありません。望ましい組み合わせがだんだんと取り尽くされるからです。音楽でいうと、斬新で感動的なメロディーを作るのが難しくなるということです。

ここでいう「取り尽くし」という言

葉は、経済学で使われる「取り尽くし効果」という概念に由来しています。これは、池の魚を何匹も釣り続けていくと、だんだん魚が減っていって、釣れなくなっていくというイメージに基づいています。

過去の偉大な作品は、人類の叡智たるアーカイブとして集積されていきます。革新的な創造というからには、そのアーカイブにないものを作らなければなりません。しかし、時代が経つにしたがってアーカイブは膨らんでいき、革新的な創造を不可能にしていきます。

かつて芸術は、革新性と娯楽性の両立が可能でした。モーツァルトやベートーヴェンの音楽は、斬新でありながら、心地よいエンターテインメントとして受け入れられたため、その作品は歴史に残りました。

しかしながら、あらゆる芸術分野は発達するにつれて、革新性と娯楽性を兼ね備えた組み合わせが枯渇してきて、両者が分岐していきます。やがて革新性を備えた作品だけが引き続き芸術と呼ばれ、娯楽性を備えた作品はエンターテインメントと位置づけられるようになります。

そうして娯楽性を失った芸術は、一般の人には難解でマニアにしかわからないしろものになります。音楽では、「現代音楽」というジャンルがそのような娯楽性を失った芸術分野で、有名な作曲家としては、ジョン・ケージやスティーヴ・ライヒがいます。今ではさらに、そのような娯楽なき芸術としての音楽も困難になってきています。

音楽だけでなく、いかなる芸術分野も取り尽くしから逃れることができません。新しいテクノロジーが誕生し、それによって新しいメディアが生まれ、新しいアートの分野が展開されていきます。そして、その分野でさまざまな試行錯誤がなされ、アーカイブが増えていくにつれて、斬新なものが生まれる確率は低くなっていくのです。

ここでの「新しいテクノロジー」とは、たとえば文字も含まれます。文字は古代メソポタミアで、紀元前3200年頃に新しいテクノロジーとして誕生しました。

ソクラテスは「文字を使っていては、本当の知恵は得られない」というようなことを述べたと言われています。最近では、このエピソードがChatGPTに関連して取り上げられています。つまり、ChatGPTを使うと馬鹿になるという主張は、かつてソクラテスが文字について述べたことに類似しているというわけです。

ソクラテスが言うことにも一理ありますが、新しいテクノロジーは便利なだけでなく、新しいアートを生み出し得るので、積極的に使いこなしたほうがいいでしょう。実際、紀元前２０００年頃になって、文字を使った最初のアートである『ギルガメッシュ叙事詩』が書かれています（現存する最古の粘土板は、３５００年前頃のもの）。

油絵具もまた、中世ヨーロッパで誕生したテクノロジーということができます。それによって油絵という新しいジャンルが生み出されて、ルネッサンス期に絵画の主流になります。

人々は古くからあるテクノロジーをテクノロジーと見なさない傾向にあります。シンセサイザーを使った打ち込みで音楽を制作すると、テクノロジーを駆使しているように感じる人が多いと思います。

それに対し、エレキギターでの演奏は今ではハイテクな感じがしないでしょう。しかし、エレキギターも誕生当時は、電気を使った最先端テクノロジーでした。このエレキギターこそが、ロックという音楽ジャンルを生み出したのです。

テクノロジーは、アートの敵のように見えることもありますが、アートの生みの親でもあるのです。19世紀初頭に発明されたテクノロジーであるカメラは、画家の仕事を減らしましたが、写実的に書くというありきたりの技法をお払い箱にしたに過ぎません。その後、優れた画家たちは絵画にしかできないことを探求し、印象派という一大潮流を築き上げました。その一方で、カメラは写真芸術を生み出しています。

画像生成AIもまた、ありきたりの絵画やデザインの仕事をお払い箱にして、多くのクリエイターの生きがいを奪っていくでしょう。その一方で、AIアートというような新たなジャンルを生み出すかもしれません。それが何かはわからないですが、画像生成AIが可能にする独自のアートがあるように思われます。

「ヴァーチャル・リアリティー」(VR)はすでに、VRアートというジャンルを生み出しており、せきぐちあいみ氏のようなVRアーティストも誕生しています。メタバース内の「ワールド」を作成するのも、新たな芸術のジャンルと見なせます。

4. 私たちはAI時代にどう生きるべきか？

部族ごっこは続く

ただ、こうした新しい芸術分野が生まれたとしても、そこで活躍できる専門的なアーティストはそれほど多くないでしょう。第1章で論じたように、1億総アーティスト時代がやってくるといっても、それで食べていけるのはほんの一握りです。

ＡＩにはできないような仕事といった場合に、会社を設立したり、プロジェクトを興し運営したりする方が、普通の人には向いているでしょう。そうした事業運営は、従事する人々に喜びを与える活動として未来にも残り続けると考えられます。

仲間と共同で何かを成し遂げる喜びは、いにしえの狩猟採集社会から続いています。ＡＩ研究者の松尾豊氏は、そうした営みを「部族ごっこ」と称しており、部族ごっこがしたいという欲求が人々の奥底にあると論じています。確かに、多くの人々にそういう欲求が備わっていると思います。松尾氏はＡＩ研究者として一流でありながら、人間心理に対する卓越した洞察力も持っているようです。

未来には、部族ごっこがしたい多くの人々が会社を設立するようになるので、小さな会社が乱立することになるでしょう。なぜ小さいかというと、ＡＩを手足として使えば、これまで50人くらいで行っていた事業が5人くらいできるようになるからです。その分、会社の社員として雇用されるような普通の働き方は、減少していくはずです。

ただし、誰もがクリエイターとなって活躍できるわけではないのと同様に、事業運営もすべての人に向いているわけではありません。第1章で、指示待ち人間を減らし能動的な意志を持った人間を増やすような教育をすべきだと論じましたが、誰もがそういう意志を持てるとは限りません。あるいは意志があっても収益が上がらないとか、事業に失敗して会社が潰れるというようなこともあるでしょう。

第2章で論じたように、これからホワイトカラーの仕事から徐々に減っていき、2030年ころからは、ブルーカラーの仕事も減っていく可能性があります。失業した人たちがクリエイターになったり、起業に向かったりすることがあるにしても、それでみなが食べていけるようになるわけではありません。

多くの人々が経済的に困窮し、自殺などの深刻な問題に直面するようなディストピアが到来する可能性についても十分考えておかなければなりません。

脱労働社会に向けて

こうした事態を回避するため、私はベーシックインカム（ＢＩ）の導入を提唱しています。ＢＩは、すべての人々に生活に必要な最低限のお金を給付するという社会保障制度です。１人に月７万円とか10万円といった現金給付を行うわけです。

私は、ＡＩ時代にＢＩが不可欠になるという主張を、２０１４年くらいから繰り返しています。今では世界的にこうした議論がなされていて、OpenAI のＣＥＯであるサム・アルトマン氏もＢＩの導入を主張しています。

私はさらに、ＡＩの高度な発達とＢＩの導入によって、「脱労働社会」を目指すことを提案しています。脱労働社会というのは、みんなが労働しなくなる社会ではなく、労働が人生の主軸とは限らないような社会です。

　たとえば、家でずっとプラモデルを作っているという人生があってもいいわけです。あるいは、何も主軸がなく日々ブラブラ過ごしているというのでも構いません。労働したい人は労働することもあるけれど、遊んでいたい人は遊んでいられるような社会です。

「労働こそ人間の本質ではないか」と私の考えを批判する人もいるでしょう。しかし、そのような考えは「レイバリズム」（労働主義）というもので、近世以降に人々が抱くようになった錯覚に過ぎません。

　中世ヨーロッパでは、貴族は当然それほど働いていませんでした。庶民は生活に必要だから働いていたのであって、労働自体を義務とする考えはほとんど育っていません。

　近世のヨーロッパでは、軍事だけでなくその基盤をなす経済の競争が国家間で激化していました。この競争に打ち勝つためには、国民が一生懸命働かなければならない。そうした経緯で、勤労道徳が政府によって人々に押し付けられたのです。

その際に、各国政府は怠け者と思わしき人々に拷問を加えて、勤労道徳を叩き込みました。そのことは、近世ヨーロッパの血塗られた歴史として、私たちは奴隷貿易や植民地主義とともに知っておくべきでしょう。

日本も幕末の黒船来航以降、国同士の競争に巻き込まれました。そのため明治政府は、トップダウンで勤労道徳を広めました。ただし、ヨーロッパのような拷問まがいのことは行われていません。

江戸時代に、二宮金次郎は勤勉革命を起こそうとしましたが、あまり人々に相手にされませんでした。ところが明治政府は「これは使える」というわけで、各小学校に金次郎の銅像を作らせて、勤労道徳のシンボルにしました。

最近では歩きながら本を読む姿が、歩きスマホを彷彿とさせるという理由で、銅像が撤去される動きもあります。金次郎は、国の方針に振り回されっぱなしなのです。それはともかくとして、勤労道徳は明治時代以降に強まった考えであり、昔から日本人に浸透していたわけではありません。

私たちはそろそろ、レイバリズムから脱却しなければならないでしょう。そうでなければ、たとえBIが導入されて、仕事がなくても食べていけるにしても、アイデンティティ・クライシスに陥ってしまいます。

私たちは人の価値を、「どういう能力があるか」とか「どう役に立つか」で判断する傾向があります。人々が仕事を失ったことに苦しむのもそのためです。

活躍しているビジネスパーソンの中には、「役に立たない人間は必要ない」といった発言をする人が少なくありません。「ちゃんと働いていない人は社会にとって無駄な存在でお荷物だ」と侮蔑することもあります。そして、自分自身については日々真面目に働いて成果を出しているからこそ、価値があると思い込んでいるのです。

そのような人々は、重い疾病にかかり働けなくなった途端に、ひどいうつ状態に陥ることがあります。かつて自分が軽蔑していて「無駄な存在」と切り捨てていた人間に、自らがなってしまっていることに耐えられないからです。

労働して人の役に立つことは素晴らしいことですが、それ以上に大切なのは、労働しているか否かにかかわらず、すべての人の生が価値を持っているということです。

私は元々そう考えていましたが、社会全体がそういう価値観に転換していかなければば、ＡＩの発達によって多くの人々が絶望感に打ちひしがれるようになるでしょう。

なぜ人は生きているだけで尊重されるべきなのか？

その人の属性にかかわらず別け隔てなく愛するということは、キリスト教では「アガペー」（博愛）、仏教では「慈愛」、儒教では「仁」と呼ばれています。世界宗教は、いずれもこうした無差別の愛を唱えているのです。

見た目の良い人や性格の良い人を愛するのはたやすいことです。むしろ、極悪人を愛せるかどうかで、真の愛は試されるのです。キリストは、「汝の敵を愛せよ」と説いていますが、そういう愛こそがまさにアガペーです。

哲学者のカントは「理性的存在者は、決して単に手段としてのみ利用されるべきものではなく、同時にそれ自身が目的として扱われなければならない[*26]」という趣旨の内容を述べています（カント著／中山元訳『道徳形而上学の基礎づけ』光文社古典新訳文庫、２０１２年も参照）。これは、人格それ自体を大切にすべきであって、人を道具のように扱ってばかりいてはいけない、というような意味でアガペーに通じる思想です。

「人材」や「人脈」という言葉は、私も使わざるを得ないことがありますが、人を金儲けの道具のように扱うひどい言葉だと思います。ＡＩは機械なので、役に立つかどうかで価値が決まります。しかし、人間は生命であり人格を持っています。たとえＡＩよりも成果を出せなかったとしても、生命であり人格を持っているというだけで尊重されるべきです。

成果を出すことがすべてだというならば、もはやすべての棋士たちはＡＩに勝てないので、その存在意義は揺らいでいます。陸上選手も１００ｍ走でオートバイに負けるでしょう。

にもかかわらず、私たちはそうした競技に価値を見出すのは、機械ではなく生身の人間なのにがんばっているという観点があるからです。そこからさらに一歩踏み出せば、生身の人間として生きているだけでみなさん尊いと思えるような境地に達するでしょう。もはやその境地はアガペーと言っていいと思います。ＡＩ時代に必要なのはそういう思想であり、価値観ではないでしょうか？

謝辞

本書の原稿を読んで、アドバイスやコメントをくださった品川俊介さん、都築栄司さん、落合龍雅さんに感謝の意を表します。また、私のわがままな要望に柔軟に応じてくださった編集者の大澤桃乃さんにも感謝しております。最後に、本書を手に取ってくださった読者のみなさんにも感謝を捧げたいです。

＊22　ダイヤモンド・オンライン「日本『技術劣化』の貿易赤字、サービス収支“赤字5.6兆円”の8割がデジタル関連」https://diamond.jp/articles/-/318133（2023年2月23日公開）

＊23　PROMPTY「OpenAIが新たな日本拠点の設立のためにTwitter日本法人の元代表James Kondoを採用」https://bocek.co.jp/media/news/4953/（2023年6月13日公開）

＊24　withnews「『給料格差ツイート、狙ってやった』日本捨てる若手学者の危機感」https://withnews.jp/article/f0170429000qq000000000000000W05x10301qq000015121A（2017年4月29日公開）

〈第5章〉

＊25　「逆チューリングテスト」と呼びたいところですが、すでに別の意味の言葉として使われているので、ここでは人間テストということにします。

＊26　Kant, Immanuel (2007). On the use of teleological principles in philosophy（1788）. In Anthropology, History, and Education. Cambridge University Press.

ば戦争を長くは持続できないので、日本はアメリカの要求通り中国やインドシナから軍を引き上げるか、アメリカに戦争を仕掛けて短期に講和し、禁輸を撤回させるしかありません。日本が選んだのは、後者の戦争でした。

＊15　当時の日本は、アメリカの7〜10分の1ほどのＧＤＰしかなかったので、必敗の戦争と言ってもいいかもしれません。実際、政府の機関である「総力戦研究所」は1941年に、日本の敗北をすでに予想していました。

＊16　アメリカの投資家グレブ・チュブピロ氏による記事原文は Chuvpilo, Gleb (2020). "AI Research Rankings 2020 : Can the United States Stay Ahead of China?" https://chuvpilo.medium.com/ai-research-rankings-2020-can-the-united-states-stay-ahead-of-china-61cf14b1216 で、日本語訳は AINOW (2022)。AINOW「2020年のAI研究ランキング：アメリカは中国をリードし続けられるのか？【後編】」https://ainow.ai/2021/02/25/252580/（2021年2月25日公開、2022年9月8日最終更新）

＊17　株式会社サイバーエージェント「サイバーエージェント、最大68億パラメータの日本語LLM（大規模言語モデル）を一般公開 ―オープンなデータで学習した商用利用可能なモデルを提供―」（公式プレスリリース）https://www.cyberagent.co.jp/news/detail/id=28817（2023年5月17日公開）

＊18　日本経済新聞「プリファード、大規模言語モデル開発　24年商用化目指す」https://www.nikkei.com/article/DGXZQOUC161N10W3A610C2000000/（2023年6月16日公開）

＊19　加えて日本では、2004年にWinnyという画期的なファイル共有ソフトを開発した金子勇氏が逮捕され、2006年にIT起業家の象徴的な存在だった堀江貴文氏が逮捕されました。それらの事件により、IT界隈では、出る杭は打たれるというような閉塞感が生じていました。

＊20　日本経済新聞「『デジタル赤字』4.7兆円　昨年国際収支、5年で1.9倍　産業育成に遅れ」https://www.nikkei.com/article/DGKKZO68319260Z00C23A2MM8000/（2023年2月9日公開）

＊21　日本経済新聞「経常黒字54％減の9.2兆円、22年度　資源高・円安響く」https://www.nikkei.com/article/DGXZQOUA108DX0Q3A510C2000000/（2023年5月11日公開、同日更新）

＊7　ヒントン氏が、Hiton（2006）で発表したのは、「積層オートエンコーダ」というニューラルネットワークです。この技術の登場によって長年ニューラルネットワークの発展を阻んでいた勾配消失問題が解消されました。

＊8　汎用目的技術は、GPT（General Purpose Technology）とも言われています。これはややこしいですが、ChatGPT の GPT（Generative Pre-trained Transformer）とはまったく異なる言葉です。なお、OpenAI とペンシルヴァニア大学が共同で著した「GPTs are GPTs」という有名な論文があります。これは最初の GPT が AI の GPT を意味しており、後ろの GPT は汎用目的技術を意味しています。要するに、「ChatGPT は汎用目的技術である」というような論文タイトルです。

＊9　たとえば、H. Choi, Jonathan & Daniel Schwarcz (2023). "AI Assistance in Legal Analysis : An Empirical Study" *Minnesota Legal Studies Research Paper No.23-22.* http://dx.doi.org/10.2139/ssrn.4539836 などです。

＊10　今では原子ではなく、クオークが物質の最小単位と考えられています。

＊11　Cotra「【メタバースに関する利用実態 _ 消費者調査 2023】2023 年上半期、男性はメタバース利用用途が幅広く拡大。女性はメタバースでコミュニケーションを楽しむ層が急増。」https://www.transcosmos-cotra.jp/report/usage-of-metaverse_consumer-survey-2023（2023 年 6 月 29 日公開）

〈第 4 章〉

＊12　シークエッジグループ CEO の白井一成氏の示唆によっています。

＊13　満州事変の首謀者である石原莞爾は、東洋の代表である日本と西洋の代表であるアメリカとの間で、人類史上の最終戦争が起こって、その後永久平和が訪れるという歴史観を持っていました。その戦争に日本が勝ち抜くためにも、満州という兵站基地（軍事に必要な物資を供給する施設）が必要だと考えたのです。

＊14　1941 年 7 月、さらなる資源を求めて南部フランス領インドシナ（今のベトナム、カンボジアなど）に侵攻し、予想に反してアメリカなどから石油禁輸の経済制裁を受けて追い詰められます。石油がなけれ

巻末注

〈**第１章**〉

＊１　『シンギュラリティは近い―人類が生命を超越するとき』はエッセンス版タイトルで、改訂前のタイトルは、『ポスト・ヒューマン誕生―コンピュータが人類の知性を超えるとき』です。

＊２　その際に「attention」（注意機構）というしくみを備えることにより、文章全体のコンテクストを把握できるようになりました。たとえば、「佐藤さんはそれを田中さんに渡した」という文があったら、前の文に注意を向けることによって、「それ」が何を指しているか理解できるようになったのです。

〈**第２章**〉

＊３　Frey, C. B., & Osborne, M. A. (2013). “The Future of Employment: How Susceptible are Jobs to Computerisation?”, *Technological Forecasting and Social Change Volume 114,* January 2017, pp.254-280. https://doi.org/10.1016/j.techfore.2016.08.019

＊４　Cotton, D., Cotton, P. A., & Shipway, J. R. (2023). “Chatting and Cheating. Ensuring academic integrity in the era of ChatGPT”. https://doi.org/10.1080/14703297.2023.2190148

＊５　Peng, Sida and Eirini Kalliamvakou, Peter Cihon, Mert Demirer (2023). “The Impact of AI on Developer Productivity : Evidence from GitHub Copilot” https://doi.org/10.48550/arXiv.2302.06590

〈**第３章**〉

＊６　ニューラルネットワークは、犬の画像を認識することが目的ならば、犬の画像を見て「犬」という正解を導き出さなければなりません。最初は、的はずれな答えを返しますが、答えと正解との差である「誤差」を小さくするようにパラメータ（脳のシナプスの強さに相当）を調整して、「犬」という正解を導き出せるようになります。しかし、ニューラルネットワークが複雑化すると、誤差を反映するようにパラメータを変更しようにも、うまく誤差が伝搬していかない「勾配消失問題」が生じます。

著者略歴

井上智洋（いのうえ・ともひろ）

経済学者・駒澤大学経済学部准教授。慶應義塾大学環境情報学部卒業。2011年に早稲田大学大学院経済学研究科で博士号を取得。早稲田大学政治経済学部助教、駒澤大学経済学部講師を経て、2017年より駒澤大学経済学部准教授。専門はマクロ経済学。最近は人工知能が経済に与える影響について論じることが多い。2016年12月には、日経ビジネス「次代を創る100人」に選ばれる。著書に『人工知能と経済の未来』(文春新書)、『ヘリコプターマネー』(日本経済新聞出版)、『純粋機械化経済』(日本経済新聞出版)、『AI時代の新・ベーシックインカム論』(光文社新書)、『MMT』(講談社選書メチエ)、『「現金給付」の経済学』(NHK出版新書)、『メタバースと経済の未来』(文春新書)などがある。

SB新書　634

AI失業（しつぎょう）

生成（せいせい）AIは私（わたし）たちの仕事（しごと）をどう奪（うば）うのか？

2023年11月15日　初版第1刷発行

著　者	井上智洋（いのうえともひろ）
発行者	小川 淳
発行所	SBクリエイティブ株式会社 〒106-0032 東京都港区六本木2-4-5 電話：03-5549-1201（営業部）
装　丁 本文デザイン	杉山健太郎
D T P 目次・章扉	株式会社RUHIA
校　正	有限会社あかえんぴつ
編集協力	田邉愛理
編　集	大澤桃乃（SBクリエイティブ）
印刷・製本	大日本印刷株式会社

本書をお読みになったご意見・ご感想を下記URL、
または左記QRコードよりお寄せください。
https://isbn2.sbcr.jp/22374/

落丁本、乱丁本は小社営業部にてお取り替えいたします。定価はカバーに記載されております。
本書の内容に関するご質問等は、小社学芸書籍編集部まで必ず書面にて
ご連絡いただきますようお願いいたします。

ISBN 978-4-8156-2237-4